Ohne Anfang, ohne Ende

DALAI LAMA

Ohne Anfang, ohne Ende

Die acht Schritte zu einem sinnerfüllten Leben

Aus dem Englischen
von Michael Wallossek

O. W. BARTH

Die Originalausgabe erschien 2000
unter dem Titel «Transforming the Mind»
bei Thorsons, a Division of HarperCollins*Publishers* Ltd

Zweite Auflage 2001
Copyright © 2000 by His Holiness the XIV Dalai Lama
Published by arrangement with HarperCollins*Publishers* Ltd,
of 77–85 Fulham Palace Road, Hammersmith, London W6 8JB
Alle deutschsprachigen Rechte beim Scherz Verlag,
Bern, München, Wien, für den Otto Wilhelm Barth Verlag
Alle Rechte der Verbreitung, auch durch Funk, Fernsehen,
fotomechanische Wiedergabe, Tonträger jeder Art und
auszugsweisen Nachdruck, sind vorbehalten.

INHALT

VORWORT

Im Mai 1999 gab Seine Heiligkeit der Dalai Lama im Londoner Wembley Conference Centre an drei Tagen Dharma-Belehrungen zur Umwandlung des Geistes. Hinzu kam ein öffentlicher Vortrag in der Royal Albert Hall zum Thema «Ethische Maßstäbe für das neue Jahrtausend». Dieser Englandbesuch Seiner Heiligkeit erfolgte auf Ersuchen des britischen Tibet House Trust.

Auf Einladung des Erzbischofs von Canterbury hielt der Dalai Lama außerdem die «10. interkonfessionelle Lambeth-Vorlesung für den Weltfrieden» im Londoner Lambeth Palace über «Die Rolle der religiösen Gemeinschaften».*

Die «Acht Strophen zur Umwandlung des Geistes» sind einer der bedeutendsten Texte einer Gattung von spirituellen Schriften Tibets, die man als Lo-djong (wörtlich: «Umwandlung des Geistes») bezeichnet. Dieses kurze Werk, verfasst von dem im 11. Jahrhundert in Tibet lebenden Meister Langri Thangpa, stellt für Seine Heiligkeit nach eigener Aussage eine besonders wichtige Inspirationsquelle dar.

Hauptthemen der Lo-djong-Lehren sind unter anderem: die Stärkung des Mitgefühls; das Bestreben, unseren Mit-

---

* In Lambeth Palace, dem Londoner Haus des Erzbischofs von Canterbury, findet seit 1867 in unterschiedlichen Abständen, im Allgemeinen aber etwa alle zehn Jahre die «Lambeth Conference», eine Tagung der anglikanischen Bischöfe, statt.

menschen mit der gleichen Einstellung zu begegnen wie uns selbst; die Entwicklung positiven Denkens; und die Umwandlung von widrigen Umständen in günstige Voraussetzungen für die spirituelle Weiterentwicklung.

Bereits vier Monate im Voraus waren sämtliche Eintrittskarten für die Veranstaltungen im Wembley Conference Centre und in der Royal Albert Hall vergriffen. Viele Leute waren enttäuscht, keinen Platz mehr zu erhalten, und wandten sich daraufhin mit der Bitte an das Londoner Tibet-Büro, den Inhalt der Dharma-Belehrungen einer breiten Öffentlichkeit zugänglich zu machen. Darum sind wir sehr froh, dass dieses Buch jetzt in den Handel kommt.

Das Tibet-Büro möchte sich bei Jane Rasch und Cait Collins für die Abschrift und bei Dominique Side für die redaktionelle Bearbeitung der Dharma-Belehrungen bedanken. Dr. Thubten Jinpa danken wir für die Übersetzung aus dem Tibetischen ins Englische und für seine Mitarbeit an der Endfassung des Manuskripts.

Mingyur Dorje
Repräsentant Seiner Heiligkeit
des Dalai Lama in London

1

Die Grundlage innerer Wandlung

Was bedeutet Wandlung?

Der tibetische Ausdruck *lo-djong* bedeutet wörtlich «Geistes-schulung» oder «Umwandlung des Geistes» und bezeichnet eine Art innere Disziplin. Bei dieser Umwandlung von Herz und Geist geht es einzig und allein darum, glücklich zu sein. Sprechen wir über Glück und Leid, so ist natürlich von dem Glück und dem Leid die Rede, die wir erfahren. Wir befassen uns also mit etwas, das in unmittelbarer Verbindung zum menschlichen Geist steht. Sehen wir einmal von der philosophischen Frage ab, ob es ein unabhängig von unserem Körper existierendes Bewusstsein gibt, so ist eines klar: Wir haben als Menschen alle das natürliche Verlangen, glücklich zu sein, und den Wunsch, das Leid hinter uns zu lassen. Das ist ein Faktum. Wir können dies also zu unserem Ausgangspunkt machen.

Lassen Sie uns jedoch, bevor wir auf diesen Punkt ausführlicher eingehen, einen kurzen Blick auf die Beschaffenheit, auf die Natur unserer Erfahrungen werfen. Meiner Meinung nach können wir in jedem Fall sagen, dass sich Erfahrungen auf der Ebene des Bewusstseins, des Geistes, abspielen. Zwar sprechen wir auch von physischen Erfahrungen, diese rühren jedoch nicht allein vom Körper her. Betäuben wir zum Beispiel einen bestimmten Körperteil, so haben wir dort keine Empfindungen mehr. Erfahrung steht also in Bezug zu Empfindung, und Empfindung wiederum steht in Bezug zu Bewusstsein. Im Wesentlichen lassen sich zwei Arten von Erfahrung unterscheiden: Die eine ist mehr mit unserem Körper verbunden und kommt hauptsächlich durch unsere Sinnesorgane zustande; die andere hingegen bezieht sich mehr auf das, was man als «das Bewusstsein» oder «den Geist» bezeichnen kann.

Auf der Ebene der physischen Erfahrung besteht zwischen

uns und anderen Lebewesen kein großer Unterschied. Auch Tiere verfügen über die Fähigkeit, Schmerz und Wohlbehagen zu empfinden. Möglicherweise unterscheiden wir Menschen uns jedoch von anderen Lebensformen durch unsere wesentlich kraftvolleren geistigen Erfahrungen in Form von Gedanken und Emotionen.

Nun ließen sich selbstverständlich Spekulationen darüber anstellen, dass andere Lebewesen vielleicht ebenfalls – zumindest bis zu einem gewissen Grad – zu solch einer Erfahrung fähig sind. Manche Tiere könnten zum Beispiel über ein Gedächtnis verfügen. Alles in allem lässt sich aber mit guten Gründen sagen, dass der Mensch zu Erfahrungen auf der geistigen Ebene besser befähigt ist.

Aus dem Umstand, dass im Grunde zwei Arten von Erfahrung existieren, ergeben sich einige interessante Konsequenzen. Eine möchte ich besonders hervorheben. Ein Mensch mit einem im Grunde heiteren und gelassenen Geist kann dank dieses inneren Friedens womöglich auch eine schmerzhafte physische Erfahrung verkraften. Andererseits wird jemand, der unter Niedergeschlagenheit, Angst oder anderweitigen emotionalen Problemen leidet, selbst über körperliches Wohlbefinden keine rechte Freude empfinden. Unsere geistige Verfassung im Sinn von Einstellungen und Emotionen spielt, wie sich hier zeigt, für unsere Erfahrung von Glück und Leid eine maßgebliche Rolle. Die Lo-djong-Unterweisungen zur Umwandlung des Geistes bieten eine Reihe von Methoden, mit deren Hilfe wir unseren Geist lenken, ihn einer Disziplin unterwerfen und so die Grundlage für das erstrebte Glück schaffen können.

Bekanntlich besteht zwischen physischem und emotionalem Wohlbefinden eine enge Verbindung. Wir wissen zum Beispiel, dass physische Erkrankungen sich auf unsere geistige Verfassung auswirken, ein erhöhtes physisches Wohlbefinden andererseits einen entspannten Geisteszustand begünstigt. Da wir diesen Zusammenhang gemeinhin anerkennen, üben und trainieren viele ihren Körper, um jenes physische Wohlbefinden zu erzielen, das zur Belebung des Geistes beiträgt. Ferner gibt es bestimmte überlieferte Übungen zur Verbesserung unserer energetischen Strukturen. Man bezeichnet sie als Prana-Yoga, als «Yoga der Windenergie». Heutzutage sind Yoga-Übungen auch in der westlichen Welt sehr populär, weil eben viele Menschen die Erfahrung gemacht haben, dass sie durch Yoga einen physischen Gesundheitszustand erreichen können, der auch zu mehr geistiger Gesundheit führt.

Die Lo-djong-Unterweisungen freilich legen uns ein anderes Vorgehen nahe. Sie konzentrieren sich unmittelbar darauf, den Geist durch die Umwandlung unserer Einstellungen und unserer Denkweise weiter zu entwickeln.

Man sollte sich darüber im Klaren sein, dass einem eine spirituelle Praxis zur Umwandlung von Herz und Geist nicht auferlegt oder aufgezwungen werden kann. Anders bei körperlichen Übungen. Da mag, um für Disziplin zu sorgen, durchaus ein gewisser Druck angebracht sein; die zur Umwandlung von Herz und Geist erforderliche Disziplin des Geistes hingegen kann sich nicht unter Zwang einstellen. Sie muss auf Freiwilligkeit beruhen – und diese wiederum auf der persönlichen Einsicht, dass uns bestimmte Einstellungen und Arten der Lebensführung weiterhelfen, andere hingegen nicht. Erst dann, auf Grund dieser Einsicht, bringen wir die Bereitschaft auf, eine spirituelle Disziplin einzuhalten. Nur wenn wir uns in dieser Weise auf einen spirituellen Weg begeben, werden wir eine Umwandlung unseres Geistes bewirken können.

Der Schlüssel zur Umwandlung von Herz und Geist besteht also darin, zu begreifen, wie unsere Gedanken und Emotionen funktionieren. Wir müssen lernen, die bei unseren inneren Konflikten miteinander im Widerstreit liegenden Seiten zu unterscheiden. Zum Beispiel müssen wir erkennen, wie destruktiv Wut ist, und uns zugleich darüber im Klaren sein, dass wir durch unsere Gedanken und Emotionen über Mittel verfügen, mit deren Hilfe wir der Wut entgegenwirken können. Begreifen wir erstens, dass getrübte (und damit zugleich den Geist trübende) Gedanken und Emotionen destruktiv und negativ sind, und versuchen wir zweitens, unsere positiven Gedanken und Emotionen – die Gegenmittel – zu stärken, so können wir allmählich den Einfluss von Wut, Hass und dergleichen verringern.

Wenn wir dann allerdings den Entschluss fassen, an unserer Wut und unserem Hass zu arbeiten, dürfen wir uns nicht mit frommen Wünschen begnügen: «Möge keine Wut in mir aufflammen.» Oder: «Möge ich von Hass frei sein.» Das kann zwar hilfreich sein, bloße Wünsche werden Sie jedoch nicht sonderlich weit bringen. Sie müssen sich alle erdenkliche Mühe geben, ganz bewusst eine Disziplin einzuhalten: eine Disziplin, die Sie überall in Ihrem Leben zur Anwendung bringen, um den Einfluss der Wut zu mildern und ihren Gegenspieler, den Altruismus, zu stärken. Denn darin besteht der Weg zu geistiger Disziplin.

Um herauszufinden, wie Gedanken und Emotionen in uns entstehen, können wir nach innen schauen. Es ist ganz natürlich, dass viele verschiedene Gedanken und Emotionen aufkommen. Die Frage, warum dies so ist, stellt ein philosophisches Problem dar. Der buddhistischen Philosophie zufolge entstehen die Gedanken und Emotionen großenteils auf Grund von früheren Gewohnheiten und von Karma. Aus beidem gehen die gedanklichen und emotionalen Tendenzen eines Menschen hervor. Wie dem auch sei: Tatsache ist, vielerlei Gedanken und Emotionen tauchen bei uns auf. Und wenn wir sie ungeprüft und ungezügelt gewähren lassen, führt dies zu unsäglichen Problemen und Krisen, zu Leid und Elend.

Aus diesem Grund müssen wir uns die bewusste Disziplin zu Eigen machen, von der zuvor die Rede war. Um den Einfluss einer negativen Emotion wie Wut oder Hass zu verringern, müssen wir das entsprechende Gegenmittel stärken: Liebe beziehungsweise Mitgefühl.

Die bloße Einsicht in diese Notwendigkeit reicht allerdings nicht aus – genauso wenig wie der schlichte Wunsch, über mehr Liebe und Mitgefühl zu verfügen. Unablässig, immer wieder aufs Neue, müssen wir uns bemühen, unsere positiven Seiten weiter zu entwickeln, und den Schlüssel dazu liefert uns der beständige Umgang mit ihnen. Es liegt in der Natur der menschlichen Gedanken und Emotionen, dass sie umso kraftvoller werden, je mehr man sich mit ihnen beschäftigt und sie kultiviert. Deshalb müssen wir Liebe und Mitgefühl bewusst entwickeln, um ihre Kraft zu steigern. Wir sprechen hier über eine Möglichkeit, *positive* Gewohnheiten zu kultivieren. Deshalb meditieren wir.

Meditation: ein Weg zu Geistesdisziplin

Was verstehen wir unter Meditation? Aus buddhistischer Sicht besteht Meditation in Geistesdisziplin – in einer Disziplin, die Sie befähigt, Ihre Gedanken und Emotionen in gewissem Maß unter Kontrolle zu halten.

Wie kommt es, dass wir uns nicht an dem dauerhaften Glück erfreuen, nach dem wir suchen? Und warum werden wir stattdessen so häufig mit Kummer und Leid konfrontiert? Der Buddhismus erklärt, dass in unserem gewöhnlichen Geisteszustand unsere Gedanken und Emotionen wild und widerspenstig sind; da uns die geistige Disziplin fehlt, sie zu zähmen, können wir sie nicht kontrollieren. Folglich beherrschen sie uns. Die Gedanken und Emotionen wiederum haben die Neigung, sich eher von unseren negativen als von unseren positiven Regungen beherrschen zu lassen. Diesen Kreislauf müssen wir dahingehend durchbrechen, dass unsere Gedanken und Emotionen aus der Abhängigkeit von negativen Regungen befreit werden und wir unseren Geist unter Kontrolle bekommen.

Auf den ersten Blick mag es den Anschein haben, als lasse sich die Absicht, eine derart grundlegende innere Veränderung herbeizuführen, unmöglich in die Tat umsetzen. Doch durch einen Disziplinierungsprozess wie die Meditation kann es uns tatsächlich gelingen. Wir wählen ein spezielles Meditationsobjekt und schulen dann unseren Geist, indem wir unsere Fähigkeit zur Konzentration auf dieses Objekt entwickeln. Für gewöhnlich müssen wir jedoch feststellen, dass unser Geist keineswegs gesammelt ist. Wir denken über etwas nach, und unversehens bemerken wir, dass wir abgeschweift sind, weil uns etwas anderes in den Sinn gekommen ist. Unablässig jagen unsere Gedanken diesem oder jenem hinterher, weil wir nicht genügend Disziplin für geistige Sammlung besitzen. Durch Meditation können wir jedoch uns die Fähigkeit aneignen, unseren Geist nach Wunsch einem beliebigen Gegenstand zuzuwenden und ihm unsere volle Aufmerksamkeit zu widmen.

Nun könnten wir uns natürlich entschließen, bei unserer Meditation den Geist auf ein negatives Objekt zu richten. Wenn Sie sich zum Beispiel leidenschaftlich zu einem Menschen hingezogen fühlen, Ihren Geist einsgerichtet auf diese Person konzentrieren und dann über ihre begehrenswerten Eigenschaften nachsinnen, werden Sie daraufhin ein gesteigertes sexuelles Verlangen nach dem Betreffenden verspüren. Darin liegt jedoch nicht der Sinn der Meditation.

Aus buddhistischer Sicht muss die Meditationspraxis einem positiven Objekt gelten. Darunter verstehen wir ein Objekt, das die Konzentrationsfähigkeit erhöht. Durch solch beständigen Umgang mit dem Objekt werden Sie immer besser mit ihm vertraut und empfinden eine innige Verbundenheit. In der klassischen buddhistischen Literatur wird diese Art der Meditation als Shamata bezeichnet, als ruhiges Verweilen in einsgerichteter Meditation.

Shamata allein reicht allerdings nicht aus. Im Buddhismus verbinden wir die einsgerichtete Meditation mit einer analytischen Meditationspraxis, die Vipashyana, durchdringende Einsicht, genannt wird. Bei dieser Praxis machen wir vom logischen Denken Gebrauch. Indem wir die Stärken und Schwächen der verschiedenen Arten von Emotionen und

Gedanken, ihre Vor- und Nachteile erkennen, können wir positive Geisteszustände in uns verstärken, die zu Heiterkeit, Ruhe und Zufriedenheit beitragen; und wir können jene Einstellungen und Emotionen eindämmen, die zu Leid und Unzufriedenheit führen.

Die beiden soeben skizzierten meditativen Ansätze, die einsgerichtete und die analytische Meditation, unterscheiden sich nicht, darauf sollte ich noch hinweisen, in Bezug auf das jeweilige Objekt. Der Unterschied liegt in der Vorgehensweise, nicht in der Wahl des Meditationsgegenstandes.

Das möchte ich am Beispiel der Meditation über Vergänglichkeit verdeutlichen: Verweilen wir in einsgerichteter Sammlung bei dem Gedanken, dass sich in jedem Augenblick alles verändert, so handelt es sich um einsgerichtete Meditation. Meditieren wir hingegen über Vergänglichkeit, indem wir bei allem, was uns begegnet, unentwegt auf die verschiedenen Überlegungen zur Unbeständigkeit der Dinge zurückgreifen und durch diesen analytischen Prozess unser Wissen um die Tatsache der Vergänglichkeit untermauern, so üben wir uns in analytischer Meditation über Vergänglichkeit. Beide Meditationen richten sich auf denselben Gegenstand, die Vergänglichkeit, beziehen sich jedoch in unterschiedlicher Weise auf ihn.

Beide Arten der Meditation kommen meines Erachtens in fast allen großen religiösen Traditionen zur Anwendung. In Indien zum Beispiel war die Praxis der einsgerichteten Meditation ebenso wie die Ausübung der analytischen Meditation allen wichtigen – buddhistischen wie nichtbuddhistischen – religiösen Überlieferungen gemeinsam. Vor einigen Jahren habe ich im Gespräch mit einem meiner christlichen Freunde erfahren, dass es im Christentum, vor allem innerhalb der griechisch-orthodoxen Kirche, eine lange und bedeutende Geschichte der kontemplativen Meditation gibt. Ebenso haben mir zahlreiche Rabbis von bestimmten mystischen Praktiken im Judentum berichtet, die eine Form von einsgerichteter Meditation beinhalten.

Beide Arten der Meditation lassen sich also auch in eine theistische Religion einbeziehen. Ein Christ könnte zum Beispiel über die Mysterien der Welt, über den Einfluss der göttlichen Gnade oder über manch anderes nachsinnen, das ihn inspiriert und im Glauben an den Schöpfergott bestärkt. Dann könnte der Betreffende seinen Geist in diesem Zustand ruhen, ihn in einsgerichteter Sammlung verweilen lassen. Wer so praktiziert, gelangt durch einen analytischen Prozess zu einer einsgerichteten Meditation über Gott. Hier sind also beide Meditationsaspekte vertreten.

Meditationshindernisse

Damit die Meditation gelingt, müssen den buddhistischen Texten zufolge im Wesentlichen vier Hindernisse überwunden werden. Das erste Hindernis sind die auf der groben Geistesebene sich einstellenden Abschweifungen, unsere Abgelenktheit. Damit ist die Tendenz unserer Gedanken zur Zerstreuung gemeint. Beim zweiten Hindernis handelt es sich um Dumpfheit und Trägheit beziehungsweise die Neigung einzuschlafen. Das dritte besteht in geistiger Erschlaffung, übermäßiger Entspanntheit. Damit ist die Unfähigkeit gemeint, Geistesschärfe und Klarheit zu wahren. Und schließlich gibt es viertens auf einer subtileren Ebene geistige Erregung oder Unruhe, die von der schwankenden, wechselhaften Natur unseres Geistes herrührt.

Wenn unser Geist allzu munter ist, wird er schnell erregbar und unruhig. Dann machen unsere Gedanken Jagd auf allerlei Vorstellungen oder Objekte, die uns entweder in freudige Erregung versetzen oder bedrücken. Übererregung führt zu allen möglichen Stimmungen und emotionalen Zuständen. Im Unterschied dazu verschafft das Erschlaffen des Geistes eine gewisse Erleichterung. Das kann man, da es erholsam ist, als recht angenehm empfinden. Nichtsdestoweniger stellt es jedoch ein Meditationshindernis dar. Vögel und andere Tiere, die gut gefüttert werden, sind nach meiner Beobachtung völlig entspannt und zufrieden. Bei einer wohlgenährten Katze, die sich vernehmlich schnurrend davontrollt, könnten wir also von einem Zustand geistiger Erschlaffung sprechen.

Geistige Dumpfheit zeigt sich auf einer eher groben Geistesebene. Geistige Erschlaffung hingegen, in gewisser Weise das Ergebnis von Dumpfheit, wird auf einer weitaus subtileren Ebene erfahrbar. Tatsächlich, so sagt man, ist für den Meditierenden zwischen echter Meditation und geistiger Erschlaffung schwer zu unterscheiden. Und zwar deshalb, weil bei geistiger Erschlaffung immer noch eine gewisse Klarheit vorhanden ist. Sie haben dann zwar den Bezugspunkt Ihrer Aufmerksamkeit in der Meditation nicht aus den Augen verloren, aber die Beweglichkeit fehlt. Obgleich Sie das Objekt also mit einer gewissen Klarheit wahrnehmen, fehlt diesem Geisteszustand die Vitalität. Wenn man ernsthaft meditieren will, ist es sehr wichtig, zwischen subtiler Erschlaffung und echter Meditation unterscheiden zu können – umso mehr, weil es heißt, dass es verschiedene Abstufungen geistiger Erschlaffung gibt.

Das andere Hindernis, von dem die Rede war, ist ein zerstreuter, abgelenkter Geisteszustand. Dabei geht es um das generelle Problem, das wir haben, sobald wir uns auf einen bestimmten Gegenstand zu konzentrieren versuchen. Wir stellen dann fest, dass der Geist die Fähigkeit, aufmerksam zu sein, sehr schnell einbüßt und von – erfreulichen wie unerfreulichen – Vorstellungen oder Erinnerungen abgelenkt und davongetragen wird. Das vierte Hindernis, geistige Erregung, ist ein spezieller Fall von Abgelenktheit oder Zerstreutheit: eine, die sich auf angenehme Objekte bezieht. Man führt sie in einer eigenen Kategorie auf, weil wir durch angenehme Gedanken besonders stark von der Meditation abgelenkt werden. Dabei kann es sich um Erinnerungen an eine frühere Erfahrung handeln, um Erinnerungen an etwas, das uns Freude bereitet hat, oder um Überlegungen zu einer Erfahrung, die wir gerne machen würden. Solche Erinnerungen und Gedanken beeinträchtigen das Gelingen der Meditation oft ganz entscheidend.

Zwei dieser vier Hindernisse spielen eine besonders große Rolle: Ablenkung und geistige Erschlaffung.

Der Umgang mit den Hindernissen

Wie könnten wir mit diesen Hindernissen umgehen?

Insbesondere bei Dumpfheit scheint es eine enge Verbindung zu unserer physischen Verfassung zu geben. So können wir uns zum Beispiel aus Schlafmangel dumpf fühlen. Wenn wir uns nicht gut ernähren, ungeeignete oder zu üppige Nahrung zu uns nehmen, kann auch das einen Dumpfheitszustand zur Folge haben. Aus diesem Grund wird im Buddhismus ordinierten Mönchen und Nonnen abgeraten, nach dem Mittagessen noch weitere Nahrung zu sich zu nehmen. Durch diesen Verzicht können sie eine gewisse geistige Klarheit bewahren, die der Meditation zugute kommt. Und auch wenn sie am nächsten Morgen aufwachen, verfügen sie über einen entsprechend klaren Geist. Gute Essgewohnheiten sind also ein sehr wirkungsvolles Mittel gegen geistige Dumpfheit.

Nun zum Problem der geistigen Erschlaffung. Es heißt, der Grund für solch ein Erschlaffen in der Meditation sei mangelnde Munterkeit und zu geringe Energie. Wann immer dieser Fall eintritt, müssen wir einen Weg finden, uns aufzumuntern. Eine der besten Möglichkeiten besteht darin, einer freudigen Empfindung Raum zu geben, indem wir uns auf das besinnen, was wir bereits erreicht haben, uns die positiven Seiten des Lebens vor Augen führen und dergleichen. Das ist das wichtigste Mittel gegen das Erschlaffen.

Im Allgemeinen gilt geistige Erschlaffung als neutraler Geisteszustand: neutral in dem Sinn, dass er weder heilsam noch schädlich ist (das heißt, er bringt weder heilsame noch schädliche Gedanken und Handlungen hervor). Zu Beginn der Meditationssitzung dürfte sich der Geist allerdings in einem heilsamen Zustand befinden. Vielleicht konzentriert man sich in der Meditation zum Beispiel einsgerichtet auf die Vergänglichkeit des Lebens. Dann büßt der Geist an einem gewissen Punkt seine Munterkeit ein, und man verfällt in geistige Erschlaffung. Doch zu Beginn der Praxis war der Geist in einem heilsamen Zustand.

Unruhe entsteht bei einem allzu munteren Geisteszustand und bei übermäßiger Erregung. Als Gegenmittel dienen Methoden, mit denen man ernüchternd auf diesen Erregungszustand einwirken kann. Eine besteht darin, sich auf Gedanken und Vorstellungen zu besinnen, die von Natur aus ernüchternd wirken, zum Beispiel auf den Tod und den Übergangscharakter des Lebens oder auf die fundamental unbefriedigende Seite des menschlichen Daseins.

Von diesen Methoden kann man selbstverständlich im Kontext fast aller großen religiösen Überlieferungen Gebrauch machen. Wer etwa bei seiner Meditation im Rahmen einer theistischen Religion zu viel Dumpfheit und geistige Erschlaffung feststellt, kann Kontemplationen über Gottes Gnade oder die große Barmherzigkeit des göttlichen Wesens zur geistigen Erbauung oder Aufmunterung nutzen. Diese Gedanken können bei Ihnen eine Empfindung der Freude wecken und den Geist aus seiner Dumpfheit herausheben. Entsprechend können Sie, wenn Ihr Geist in der Meditation zu sehr erregt ist, über die Erbsünde nachsinnen oder darüber, dass Sie häufig nicht in der Lage sind, in Einklang mit Gottes Geboten und Lehren zu leben. Das wird sogleich einen Sinn für Bescheidenheit in Ihnen wachrufen und Ihr Hochgefühl mäßigen. Auf diese Weise lassen sich die Meditationsübungen anpassen und in andere Religionen einbeziehen.

Ich fasse zusammen. Um den vier Hindernissen der Meditation zu begegnen – insbesondere den beiden Haupthindernissen Zerstreutheit und geistige Erschlaffung –, müssen wir, wie wir gesehen haben, zwei wichtige geistige Fertigkeiten geschickt einsetzen: Achtsamkeit und Innenschau. Durch die Innenschau entwickeln wir eine Wachsamkeit, die uns erkennen lässt, ob im betreffenden Moment unser Geist unter dem Einfluss von Erregung oder Ablenkung steht; ferner, ob er gesammelt ist oder in Dumpfheit verfällt. Sobald wir unseren Geisteszustand wahrgenommen haben, erlaubt uns die Achtsamkeit, dass wir unsere Aufmerksamkeit wieder auf das Meditationsobjekt richten und auf dieses konzentriert bleiben. Daher könnte man sagen, dass es sich bei der Achtsamkeitsübung um die Essenz der Meditation handelt.

Welche Form von Meditation Sie auch praktizieren, es kommt darauf an, ständig Achtsamkeit aufzubringen und eine langfristige Anstrengung auf sich zu nehmen. Von der Meditation innerhalb kurzer Zeit Resultate zu erwarten wäre unrealistisch. Dazu bedarf es ständiger, ausdauernder Anstrengung.

Ungeachtet dessen, ob man dafür diese Bezeichnung verwendet oder nicht – in unserem Lebensalltag kommt die analytische Meditation in fast allen Berufen zum Einsatz. Ein Geschäftsmann zum Beispiel muss, wenn er erfolgreich sein will, über ein erhebliches Maß an Kritikfähigkeit verfügen, bei seinen Geschäften jedes Für und Wider untersuchen und dergleichen mehr. Er macht, ob er sich nun darüber im Klaren ist oder nicht, von denselben analytischen Fertigkeiten Gebrauch, auf die wir in der Meditation zurückgreifen.

Von den beiden Arten der Meditation scheint mir die analytische Meditation im Allgemeinen die stärkeren Auswirkungen auf die Umwandlung von Herz und Geist zu haben.

Die Natur des Bewusstseins
und das Bewusstseinskontinuum

In dem tibetischen Text «Die Acht Strophen zur Umwandlung des Geistes» (die deutsche Übersetzung finden Sie in
Anhang I, S. 137 ff.) lautet das erste Wort «ich» *(dag)*. Es ist
sehr wichtig, sich zu fragen, was genau unter diesem Ausdruck zu verstehen ist. Dazu müssen wir die Lehren des
Buddha im Zusammenhang der verschiedenen spirituellen
Überlieferungen Indiens betrachten. In einem Punkt unterscheiden sich die buddhistischen Lehren von allen anderen
klassischen indischen Überlieferungen: Sie verwerfen den
Begriff einer ewigen Seele, eines Selbst, Atman – definiert als
eine von unserer körperlichen und geistigen Wirklichkeit
unabhängige, unwandelbare und dauerhafte Einheit.

Gemäß der buddhistischen Argumentation ist das, was wir
als das Selbst oder die Person bezeichnen, lediglich im Sinn
einer Funktion unserer psychophysischen Bestandteile (siehe
Glossar) zu verstehen – jener «Anhäufungen» oder Komponenten, die in ihrer Gesamtheit unsere Existenz ausmachen.
Untersuchen wir die Natur dieser psychophysischen Komponenten, so stellen wir fest, dass sie sich unablässig verändern.
Demzufolge kann das Selbst nicht unveränderlich sein. Ferner
sind sie vergänglich. Daher kann das Selbst nicht dauerhaft
oder ewig sein. Und sie sind vielförmig und zusammenge-
setzt. Daher kann das Selbst nichts Einheitliches sein. Aus
diesen Gründen verwirft der Buddhismus den Begriff einer
ewigen, unveränderlichen Seele.

In sämtlichen buddhistischen Schulrichtungen heißt es,
man habe die Existenz des Selbst als eine Funktion der
körperlichen und geistigen Komponenten des einzelnen
Menschen zu verstehen. Mit anderen Worten: Man sollte
über das Selbst nicht allein auf der groben Ebene des Körpers
Betrachtungen anstellen. Die buddhistischen Schulen definieren das Selbst üblicherweise in Bezug auf das Bewusstseinskontinuum.

Gewöhnlich stellt sich im Hinblick auf das Selbst eine weitere Frage: Hat es einen Anfang und ein Ende?

Einige buddhistische Schulrichtungen wie die der Vaibhashikas scheinen die Vorstellung zu akzeptieren, dass das Kontinuum des Selbst an ein Ende gelangen kann. Die meisten Traditionen erklären jedoch, es habe weder Anfang noch Ende. Denn sie verstehen es in Bezug auf das Bewusstseinskontinuum, und die buddhistischen Schulen machen allgemein geltend, dass wir für das Bewusstsein keinen Anfang postulieren können. Falls wir dies tun würden, müssten wir nämlich zugestehen, dass ein erster Bewusstseinsmoment keine Ursache hätte und von nirgendwo herkäme. Das stünde in Widerspruch zu einem Grundprinzip des Buddhismus, dem Gesetz von Ursache und Wirkung.

Für den Buddhismus gilt, dass die Wirklichkeit ihrer Natur nach bedingt ist. Alles entsteht durch das Zusammentreffen bestimmter Ursachen und Bedingungen. Ein Bewusstsein ohne Ursache würde diesem Grundprinzip widersprechen. Buddhisten sind daher der Auffassung, dass jeder Bewusstseinsmoment durch Ursachen und Bedingungen irgendwelcher Art hervorgebracht werden muss. Unter den vielen in Frage kommenden Ursachen und Bedingungen muss die Hauptursache eine Form von Erfahrung sein, da bloße Materie kein Bewusstsein hervorbringen kann. Bewusstsein muss also von einem vorhergehenden Bewusstseinsmoment herrühren.

Wenn wir den Ursprung der materiellen Welt ausfindig zu machen versuchen, kommen wir – zumindest aus buddhistischer Sicht – zu dem Schluss, dass auch die physische Welt keinen Anfang hat. Durch Analyse können wir ein physisches Objekt auf seine Bestandteile zurückführen, anschließend auf seine Moleküle, seine atomaren Teile und so weiter. Doch auch diese müssen durch entsprechende Ursachen und Bedingungen hervorgebracht worden sein.

Es wird also behauptet, dass der Geist keinen Anfang hat, und ebenso, dass er kein Ende hat. Denn nichts könnte die grundlegende Existenz unserer Fähigkeit, zu erkennen und zu erfahren, zerstören. Bestimmte Geisteszustände wie etwa unsere Sinneserfahrungen sind von unserem physischen Leib abhängig, und wenn diese Grundlage nicht mehr existiert, zum Zeitpunkt des Todes also, können sie verlöschen. Wenn wir davon sprechen, dass das Bewusstseinskontinuum weder Anfang noch Ende hat, sollten wir unser Verständnis von Bewusstsein allerdings nicht auf die grobe Daseinsebene beschränken. Vielmehr nehmen wir im Buddhismus auf eine subtilere Bewusstseinsebene Bezug, insbesondere auf das, was wir als die «lichte Geistesnatur», als die «strahlende Geistesnatur» bezeichnen: Von ihr erklären wir, dass sie kontinuierlich fortbesteht und kein Ende nimmt. Darauf also beruht die buddhistische Aussage, dass das Selbst keinen Anfang und kein Ende hat.

Wer über das Bewusstsein nachdenkt, neigt im Allgemeinen zu der Annahme, es gebe da eine Art monolithische Einheit namens «Geist». Dies trifft jedoch nicht zu. Wenn wir etwas gründlicher nachforschen, erkennen wir, dass das so genannte «Bewusstsein» in Wahrheit eine vielfältige und komplexe Welt von Gedanken, Emotionen, Sinneserfahrungen und so weiter umfasst.

Lassen Sie uns, um dies zu verdeutlichen, einmal anschauen, wie wir die Dinge wahrnehmen. Für das Zustandekommen einer Wahrnehmung müssen bestimmte Bedingungen vorliegen. Zum Beispiel muss im Fall einer visuellen Wahrnehmung ein äußeres Objekt mit dem physischen Organ, unseren Augen, in Kontakt treten, damit ein Wahrnehmungsvorgang stattfindet. Noch eine weitere Bedingung muss erfüllt sein: Das Sinnesorgan muss so mit dem Objekt in Interaktion treten können, dass dieser Vorgang eine Wahrnehmung hervorruft. Buddhisten würden nun erklären, dass der Geist eine ursprünglich lichte Natur hat, die im «bloßen Faktum» des Erfahrens und Gewahrens besteht, und dass genau dieses Kontinuum das Zustandekommen von Wahrnehmungen durch den Kontakt zwischen den Sinnesorganen und den entsprechenden Objekten möglich macht. Überdies transzendiert diese dem Geist zu Grunde liegende lichte Natur die vergängliche Existenz einer einzelnen Lebensspanne, da sie eine ununterbrochene Kontinuität aufrechterhält. Das verstehen Buddhisten also unter solchen Formulierungen wie «die anfanglose Natur des Bewusstseins» oder «das Bewusstseinskontinuum».

Weiterhin erklären Buddhisten, wie ich bereits erwähnt habe, auch die physische Welt sei in gewissem Sinn ohne Anfang. «Wie verhält es sich aber mit dem Urknall, dem ‹Big Bang›?», werden Sie vielleicht fragen. «Bestand darin nicht der Beginn des Universums?» Für einen Buddhisten kommt der Urknall als wirklicher Beginn der physischen Welt nicht in Betracht und wirft nur weitere Fragen auf, statt unser Problem zu lösen. Warum zum Beispiel ist es überhaupt zum Urknall gekommen? Welche Bedingungen haben ihn herbeigeführt? Aus buddhistischer Sicht lässt sich auch von der physischen Welt nicht sagen, sie habe einen absoluten Anfang. Mit der Aussage, die Welt habe keinen Anfang, beziehen wir uns, darauf sollte ich Sie hinweisen, auf eine sehr subtile «atomare» Ebene. Außerdem haben ein einzelnes Universum und ein einzelner Planet sehr wohl in dem Sinn einen Anfang, dass sie zu einem bestimmten Zeitpunkt entstehen und ihr Dasein zu einem anderen Zeitpunkt endet. Wenn wir sagen, die physische Welt sei anfanglos, sprechen wir vom Universum in seiner Gesamtheit.

All dies bringt uns zum Grundprinzip von Ursache und Wirkung zurück. Um dieses Prinzip vollständig zu erfassen, muss man seine Bedeutung im Rahmen kleiner Einzelgeschehnisse ebenso erkennen wie im größeren Zusammenhang. Die buddhistischen Lehren messen dem Gesetz von Ursache und Wirkung nicht deshalb eine derartige Bedeutung bei, weil dies eine Art göttliches Gesetz ist, sondern weil es uns ein vertieftes Wirklichkeitsverständnis vermittelt.

Woraus resultiert diese Auffassung? Aus der Tatsache, dass wir aus eigener Erfahrung und auf Grund von Beobachtung wissen, dass die Entstehung der Dinge und das Eintreten von Ereignissen nicht dem Zufall überlassen bleiben, sondern einer bestimmten Ordnung gemäß erfolgen. Zwischen einzelnen Ereignissen und einzelnen Ursachen besteht eine bestimmte Wechselbeziehung. Außerdem geschieht nichts völlig grundlos. Sobald wir diese beiden Möglichkeiten ausschließen – die Zufälligkeit des Daseins und seine Grundlosigkeit –, müssen wir zwangsläufig die dritte Möglichkeit akzeptieren: die Existenz eines Kausalitätsprinzips, das auf einer elementaren Ebene wirksam ist.

Sie werden sich vielleicht fragen, warum dieses Verständnis von Ursache und Wirkung für einen praktizierenden Buddhisten so wichtig ist. Dies hat seinen Grund in dem außerordentlich großen Wert, den der Buddhismus einer Umwandlung des Geistes und des Herzens beimisst – der Verwirklichung von inneren Veränderungen, die unsere Lebens- und Denkweise betreffen. Außerdem müssen im Buddhismus die Methoden der Kontemplation, Meditation und geistigen Transformation auf etwas tatsächlich Existierendem aufbauen. Stehen unsere Meditationspraxis und die Wirklichkeit nicht miteinander in Einklang, so entbehrt die Erwartung, persönliche Entwicklungsfortschritte machen zu können, jeder realen Grundlage. Indem wir ein Wirklichkeitsverständnis entwickeln, es vertiefen und weiterentwickeln, können wir also damit beginnen, die Meditationsmethoden auf uns selbst anzuwenden, und so eine innere Wandlung einleiten.

Bestimmte Meditationsübungen führt man im Buddhismus durch, um spezifischen Problemen entgegenzuwirken. Zum Beispiel sollen einige Meditationen die Heftigkeit des sexuellen Verlangens und Anhaftens verringern helfen. So könnten wir etwa visualisieren, die gesamte Erdoberfläche sei mit Totengebeinen übersät. Solche Meditationen praktiziert man eigens zu dem Zweck, ganz bestimmte Schwierigkeiten zu überwinden. Keineswegs jedoch glaubt in diesen Fällen der Meditierende, die Visualisation entspreche in irgendeiner Weise der Wirklichkeit. Er oder sie ist sich dann vollkommen darüber im Klaren, dass man die jeweilige Vorstellung entwickelt, um sich mit bestimmten Emotionen auseinander zu setzen.

Generell betont der Buddhismus, wie wichtig es ist, im Umgang mit jedem beliebigen Untersuchungsgegenstand ein rational begründetes Verständnis zu entwickeln. Dem liegt schlicht die Annahme zu Grunde, dass ein besseres Verständnis der Dinge positive Auswirkungen auf unser Herz und unseren Geist hat und dass der innere Wandel eben durch eine Erweiterung unseres Verständnis- und Wissenshorizonts tatsächlich vollzogen wird. Darum heißt es, viele tiefgründige Ebenen spiritueller Verwirklichung seien das Ergebnis von Wissen, Einsicht und Verständnis. Das Entwickeln von Einsicht wird somit als ein entscheidendes Element des gesamten spirituellen Weges angesehen.

DIE VIER SIEGEL DES BUDDHISMUS

Wie ich schon sagte, besteht eine Grundtatsache des Lebens in unserem von Natur aus vorhandenen, instinktiven Verlangen, glücklich zu sein und das Leid zu überwinden. Der Wunsch, glücklich zu sein, ist für jeden von uns etwas ganz Elementares. Auf die Frage, warum dies so ist, könnten wir vielleicht einfach sagen: «Das ist eben so.»

Wir alle haben dieses Bestreben. Glück ist das, wonach es uns verlangt. Aber auch dies ist eine natürliche Tatsache: Immer wieder aufs Neue durchlaufen wir schmerzliche Erfahrungen und müssen vielfältiges Leid ertragen. Weshalb? Warum werden wir ungeachtet unseres starken Verlangens, glücklich zu sein, dennoch unablässig mit Leid und Schmerz konfrontiert?

Nach buddhistischer Auffassung liegt das an der grundlegend fehlerhaften Art, in der wir uns selbst und die Welt wahrnehmen, und im dementsprechenden Verhalten. Beides beruht auf den vier falschen Sichtweisen. Die erste besteht darin, Dinge und Ereignisse, die in Wirklichkeit unbeständig und vergänglich sind, als ewig, dauerhaft und unveränderlich anzusehen. Die zweite lässt uns Dinge und Ereignisse, die tatsächlich die Quelle von Unzufriedenheit und Leid sind, als angenehm und als wahren Glücksquell erscheinen. Die dritte falsche Sichtweise zeigt sich in unserer Neigung, Dinge als rein und begehrenswert zu betrachten, die in Wahrheit unrein sind. Und die vierte falsche Sichtweise besteht darin, eine Vorstellung von realer Existenz auf Ereignisse und Dinge zu projizieren, denen keinerlei wirklich eigenständiges Dasein zukommt.

Grundlegend fehlerhafte Sichtweisen der Wirklichkeit führen zu bestimmten falschen Verhaltensweisen der Welt und uns selbst gegenüber, die wiederum Verwirrung, Leid und Elend bewirken. Ausgehend von dieser Dynamik formuliert der Buddhismus die so genannten Vier Siegel – Grundwahrheiten, über die sich sämtliche Schulrichtungen des Buddhismus einig sind:

1. Alle zusammengesetzten Phänomene sind vergänglich.
2. Alle befleckten Phänomene sind unbefriedigend.
3. Alle Phänomene sind ohne Eigendasein.
4. Nirvana ist wahrer Frieden.

1. Alle zusammengesetzten Phänomene sind vergänglich

Zu den Grundeinsichten des Buddhismus gehört die Erkenntnis, dass alle Dinge vergänglich sind: das erste der Vier Siegel. Sämtliche Dinge, die auf Grund von Ursachen und Bedingungen entstehen – das ist hier der Ausschlag gebende Punkt –, sind vergänglich und unablässig einem Fluktuationsprozess unterworfen.

Soweit es um die grobe Ebene der Vergänglichkeit geht, sind wir uns alle darüber im Klaren, dass bestimmte Dinge ein Ende haben, einen Veränderungsprozess durchlaufen, und so weiter. Doch ein Buddhist würde es dabei nicht bewenden lassen. Vielmehr würde er behaupten, den deutlich wahrnehmbaren Veränderungen, die wir alle bemerken, müssten Veränderungen auf einer subtileren Ebene, ein vielleicht nicht so offensichtlicher Prozess, zu Grunde liegen. Wenn wir imstande sind, die sichtbaren Veränderungen, die sich über eine längere Zeitspanne hinweg vollziehen, zu erklären, so sollten wir diesen Prozess im Grunde bis zur kleinsten nur erdenklichen Zeiteinheit zurückverfolgen können. Selbst im allerwinzigsten Bruchteil eines Augenblicks vollzieht sich dann logischerweise immerfort ein dynamischer Prozess. Alles durchläuft diese Veränderung von einem Moment zum andern. Das lässt den Schluss zu, dass alles, was auf Grund von Ursachen und Bedingungen entsteht, von Natur aus unbeständig ist. Mit anderen Worten: Alles Bedingte muss vergänglich sein.

Sobald Sie diesen fundamental bedeutsamen Punkt begreifen, beginnen Sie zu erkennen, dass es sich auch bei jenem Glück, das wir alle anstreben, und dem Leid, das wir alle instinktiv vermeiden wollen, um Erfahrungen handelt, die aus Ursachen und Bedingungen resultieren. Glück und Leid kommen nicht von nirgendwo her, sondern sie entstehen auf Grund ihrer eigenen Ursachen und Bedingungen. Daraus folgt: Falls Sie zum Beispiel gerade jetzt schmerzliche Erfahrungen durchlaufen oder gar schreckliches Leid erleben, ergibt sich allein schon aus der Bedingtheit Ihrer Erfahrung, dass sie vorübergehen wird. So wird uns klar, dass Glück und Leid der Veränderung und der Vergänglichkeit unterworfen sind. Im Hinblick auf ihre Unbeständigkeit sind Glück und Leid gleich.

2. Alle befleckten Phänomene sind unbefriedigend

Das zweite Siegel hebt den Unterschied zwischen Glück und Leid hervor und besagt, dass alle befleckten Phänomene von Grund auf unbefriedigend sind. Daraus folgt, dass uns diejenigen Dinge, die nicht auf solchen befleckten Ursachen beruhen, Befriedigung und Erfüllung verschaffen können. Wenn wir in diesem Kontext über befleckte Phänomene sprechen, meinen wir damit Ereignisse und Erfahrungen, die unter dem Einfluss von negativen Triebkräften, von getrübten Gedanken und Emotionen, zustande kommen. Solche Phänomene werden «befleckt» genannt, weil sie von geistigen Verunreinigungen beeinträchtigt sind. Darum sind sie fundamental unbefriedigend, und darum heißt es von ihnen, sie seien ihrer Natur nach Duhkha, Leid.

Diese zweite Grundwahrheit bezieht sich nicht allein auf die physischen Empfindungen, die jeder von uns bereitwillig als Schmerz und Leid bezeichnet. Obgleich sich natürlich ausnahmslos jeder unter uns wünscht, von Leid frei zu sein, können wir je nach Bewusstseinsstufe mit dem Ausdruck «Leid» unterschiedliche Sachverhalte bezeichnen. Wenn wir als Buddhisten von der Überwindung des Leids sprechen, meinen wir, vor allem in Zusammenhang mit dem zweiten Siegel, eine sehr subtile Ebene von Leid. Wer mit der Klassifikation der verschiedenen Arten von Leid im Buddhismus vertraut ist, weiß, dass hier drei Ebenen voneinander unterschieden werden: das Leid des Leidens, das Leid der Veränderung und das Leid der allgegenwärtigen Bedingtheit. Mit dieser dritten Ebene des Leids befasst sich das zweite Siegel.

Eine Folgerung aus dieser zweiten Grundwahrheit lautet, wie ich schon erwähnte, dass uns das bleibende, unverfälschte Glück, nach dem wir verlangen, zuteil wird, sofern wir von geistigen Verunreinigungen frei sind. Hier stellt sich die Frage, warum es in der Natur der Verunreinigungen liegt, eine bestimmte Art von Erfahrung – eine leidvolle Erfahrung – hervorzurufen. Und kann es gelingen, über diese Verunreini-

gungen, diese negativen Gedanken und Emotionen, hinaus-
zugelangen?

Bei den geistigen Verunreinigungen, den getrübten Gedanken und Emotionen, handelt es sich um eine ganze Reihe
von Gedanken und Emotionen, in deren Natur es liegt, den
Geist zu verstören, ihn zu trüben. Die Etymologie des entsprechenden tibetischen Wortes *(nyon-mong)* lässt an etwas
denken, das uns von innen her verstört; «verstören» bedeutet
dabei so viel wie «Leid und Schmerz verursachen». Am Ausgangspunkt all unseres Leids, auf der subtilsten Ebene, befinden sich die Geistestrübungen – negative Triebkräfte, negative Gedanken, Emotionen, und so weiter.

Demnach hat das Leid seine Ursachen *in uns* und das Glück
ebenso. Wir gelangen hier zu einer Einsicht von ganz zent-
raler Bedeutung: Ob wir glücklich sind oder leiden, hängt
davon ab, zu wie viel geistiger Disziplin wir fähig sind. Ein
disziplinierter, spirituell transformierter Geisteszustand bringt
uns Glück. Ein undisziplinierter, dem Einfluss der Geistestrübungen unterliegender Geisteszustand hingegen bringt
uns Leid.

Nun können wir unsere Kontemplationen zu diesen ersten
beiden Siegeln miteinander verknüpfen. Das erste Siegel –
alle zusammengesetzten Phänomene sind vergänglich – ver-
half uns zu der Einsicht, dass die Existenz von allem, was auf
Grund von Ursachen und Bedingungen entsteht, von anderen Faktoren abhängig ist. Es unterliegt einem unablässigen
Veränderungsprozess und verfügt nicht wirklich über die
Möglichkeit, für sich alleine zu bestehen. Außerdem ist kein
zusätzlicher Faktor erforderlich, um den Veränderungsprozess
in Gang zu bringen; vielmehr sind die Ursachen und Bedingungen, die es entstehen lassen, genau jene Ursachen und
Bedingungen, die auch den Keim seines Untergangs in sich
tragen.

Allem Bedingten fehlt also, um dies zusammenzufassen,
jegliche Eigenständigkeit, jede Selbstbestimmtheit; es unterliegt fremden Einflüssen, ist «fremdbestimmt». Wenn wir diese

Einsicht jetzt mit dem zweiten Siegel in Verbindung bringen, wird uns klar, dass alles, was aus «befleckten» Ursachen und Bedingungen – geistigen Verunreinigungen – resultiert, von Grund auf unbefriedigend ist und dem Einfluss dieser Verunreinigungen unterliegt.

Durch solche Reflexionen lernen wir, der Tatsache ins Auge zu schauen, dass wir uns von unseren Gedanken und Emotionen lenken und beherrschen lassen; mehr noch, dass wir es unseren negativen Triebkräften und sonstigen Geistestrübungen gestatten, über unsere Gedanken und Emotionen zu entscheiden. Wenn wir den Fortbestand dieser Situation weiterhin zulassen, das beginnen wir nun zu begreifen, können daraus nur Leid und Elend hervorgehen. Derartige Überlegungen führen uns vor Augen, dass unsere getrübten Emotionen und Gedanken wahrhaft destruktive Kräfte sind.

Als «Feind» sollte all das bezeichnet werden, was Leid oder Verderben über uns bringt. Mit anderen Worten, der Feind steckt letztlich in uns selbst. Das macht die ganze Angelegenheit so schwierig! Vor einem äußeren Feind können wir fortzulaufen oder uns zu verbergen versuchen. Vielleicht gelingt es uns mitunter sogar, ihn an der Nase herumzuführen. Steckt der Feind jedoch *in* uns, fällt es schwer, zu sagen, was man tun soll. Die alles entscheidende Frage für jemanden, der einer spirituellen Praxis nachgeht, lautet also: Kann dieser innere Feind überwunden werden oder nicht?

Das ist auch für uns die Schlüsselfrage, die nach Klärung verlangt.

In der Vergangenheit haben manche Philosophen die These aufgestellt, die Verunreinigungen lägen in der ureigenen Natur des Bewusstseins und seien von diesem nicht zu trennen. Wenn es sich so verhält, werden sie, solange dieses Bewusstsein existiert, ein Wesensmerkmal unseres Geistes sein. Dies würde bedeuten, dass wir ihrer unmöglich Herr werden könnten.

Träfe dies zu, so wäre ich persönlich lieber Hedonist. Dann

würde ich keinerlei Anstrengung unternehmen, einem spirituellen Weg zu folgen, sondern im Alkohol oder in anderen Drogen Trost suchen und keinen Gedanken mehr an Geistesschulung verschwenden. Auch würde ich mich nicht mit der Klärung solch anspruchsvoller philosophischer Fragen befassen. Vielleicht ist eine hedonistische Haltung ja letzten Endes doch der bessere Weg zum Glück.

Vergleicht man die Menschen mit den Tieren, so sind wir manchmal derart in unserer Vorstellungs- und Gedankenwelt gefangen, dass wir uns selbst im Weg stehen. Im Unterschied dazu können Tiere, die sich solchen intellektuellen Aktivitäten nicht hingeben, einen ausgeglichenen, ruhigen Eindruck machen. Sie fressen ihr Futter, und ist ihr Appetit gestillt, sind sie entspannt und schlafen. Aus einem bestimmten Blickwinkel betrachtet, scheinen sie viel zufriedener zu sein als wir. Das bringt uns zum dritten Siegel des Buddhismus.

3. Alle Phänomene sind ohne Eigendasein

Die dritte Grundwahrheit – alle Phänomene sind leer und ohne Eigendasein – darf nicht in einem nihilistischen Sinn verstanden werden. Sie sollten nicht meinen, die buddhistischen Lehren legten dar, dass letzten Endes nichts existiert. Das kann nicht der Fall sein. Denn schließlich sprechen wir ja über Leid, über Glück und über die besten Mittel und Wege, unser Verlangen nach dem Glücklichsein und der Überwindung des Leids stillen zu können. Also werden wir wohl schwerlich die These aufstellen, dass gar nichts existiert. Vielmehr bringt das dritte Siegel zum Ausdruck, dass unsere Wahrnehmung der Welt und unsere Selbstwahrnehmung grundlegend von den tatsächlichen Gegebenheiten abweichen. Die Dinge existieren nicht in der Weise, wie wir zu glauben geneigt sind – als unabhängige, objektive Realität dort draußen.

Um der Frage nachzugehen, ob negative Emotionen wie

Wut, Hass und so weiter tatsächlich der essenziellen Natur unseres Geistes innewohnen, können wir uns selbst und unsere Erfahrung überprüfen. Ist in jedem Augenblick unseres bewussten Daseins Wut vorhanden? Ist die ganze Zeit über ständig Hass da? Wir sehen, dass es sich nicht so verhält. Manchmal kommt Wut auf, manchmal Hass, und anschließend verschwinden sie wieder.

Keineswegs ist es so, dass bei vorhandenem Bewusstsein immer zugleich auch diese negativen Emotionen da sind. Wut und Hass entstehen durchaus, doch ein andermal tauchen nicht sie, sondern ihre Gegenspieler auf, Liebe und Mitgefühl. Das ursprüngliche Bewusstsein, so schließt der Buddhismus daraus, wird durch die im jeweiligen Moment aufkommenden Gedanken und Emotionen verhüllt.

Ferner sind wir der Auffassung, dass zwei einander widerstreitende Emotionen, etwa Liebe auf der einen und Hass auf der anderen Seite, nicht gleichzeitig – in *einem* Moment bei ein und derselben Person – vorhanden sein können. Unterschiedliche Gedanken und Emotionen tauchen also nacheinander in unserem Geist auf. Mit anderen Worten, unsere negativen Emotionen sind kein fester, allzeit gegenwärtiger Bestandteil unseres ursprünglichen Bewusstseins, der von diesem nicht zu trennen ist.

Deshalb sagen wir: Die Gedanken und Emotionen entstehen, und sie verhüllen dann den ursprünglichen Geist. Wir gehen davon aus, dass der ursprüngliche Geist neutral ist. Er kann von positiven wie auch von negativen Gedanken und Emotionen beeinflusst werden. Es besteht also Anlass zur Hoffnung.

Vor dem Hintergrund all dieser Überlegungen wenden wir uns nun der bedeutsamen Frage zu, ob sich getrübte Emotionen tatsächlich bereinigen lassen.

Wie wir bereits festgestellt haben, können Veränderung und Wandlung auf Grund von Vergänglichkeit eintreten. Und das bedeutet, dass durchaus eine Möglichkeit zur Überwindung negativer Gedanken und Emotionen besteht. Die weiter reichende und grundlegendere Frage lautet allerdings: Ist es möglich, die Verunreinigungen des Geistes vollständig zu beseitigen?

Sämtliche buddhistische Schulen erklären, dass dies möglich ist. Tatsächlich gibt es zahlreiche buddhistische Belehrungen, in denen die Natur dieser Trübungen, ihr Zerstörungspotenzial, ihre Ursachen, ihre Bedingungen und so weiter ganz ausführlich erörtert werden. Die Essenz dieser Erörterungen sollte in Zusammenhang mit der Bemühung verstanden werden, die negativen Triebkräfte restlos zu beseitigen.

Wir können über den Dharma selbstverständlich auch im Kontext von Ethik sprechen; wir können sagen, dass man nicht töten, nicht lügen soll und so weiter, sondern dass man sich um heilsames Handeln bemühen soll. Um Dharma geht es hierbei allerdings nur in einem ganz allgemeinen Sinn. Denn ethische Verhaltensrichtlinien gibt es ja nicht nur im Kontext der buddhistischen Lehre.

Das Besondere an der buddhistischen Auffassung von spiritueller Praxis besteht in Folgendem: Wir können erreichen, dass sämtliche negativen Triebkräfte vollständig verschwinden. Dies bezeichnet man als Nirvana, als vollständige Befreiung von den Geistestrübungen, als ihr vollständiges Verlöschen. Nirvana, so könnten wir sagen, ist die Essenz des Buddha-Dharma.

Für einen praktizierenden Buddhisten ist es unerlässlich, sämtliche Aspekte der Dharma-Praxis im Licht dieses letztendlichen spirituellen Ziels zu begreifen – der Befreiung von den Verunreinigungen des Geistes.

Das gilt auch für die Ethik. Ethische Verhaltensweisen sind Schritte zur Annäherung an das Ziel der Befreiung. Da ein Buddhist letzten Endes dieses Ziel anstrebt – die restlose Beseitigung aller zu negativen Handlungen führenden negativen Emotionen und Gedanken –, zeugt es von der engagierten Auseinandersetzung mit negativen Gedanken und Emotionen, wenn Praktizierende sich um eine ethische Lebensführung bemühen. Auf der ersten Stufe dieses Bemühens befasst man sich mit den Manifestationen dieser Trübungen in Form unserer verbalen Äußerungen und unserer Handlungen.

Die Analyse unserer getrübten Emotionen und Gedanken führt uns vor Augen, dass all diesen Erfahrungen gewisse Projektionen zu Grunde liegen: Unser Geist entwickelt bestimmte Vorstellungen und malt sich Dinge aus, gleichgültig, ob es eine objektive Grundlage dafür gibt oder nicht. Zum Beispiel werden wir an einem uns begehrenswert erscheinenden Objekt bestimmte begehrenswerte Eigenschaften wahrnehmen und diese dann womöglich mit Hilfe unserer Vorstellungskraft übersteigern. Auch haben wir die Neigung, in Gedanken bei diesen Eigenschaften zu verweilen und uns an ihnen zu erfreuen. Das alles hat zur Folge, dass wir eine immer stärkere Anhaftung an das Objekt unserer Begierde entwickeln.

Wenn wir hingegen mit nicht begehrenswerten Objekten konfrontiert sind, haben wir eine ebenso ausgeprägte Neigung, ganz unabhängig von jeder objektiven Realität bestimmte Eigenschaften und Merkmale auf diese Objekte zu projizieren. Dementsprechend fühlen wir uns von ihnen abgestoßen und gehen auf Distanz.

Diese Grundtendenzen prägen unsere Reaktion auf Dinge, von denen wir uns angezogen oder abgestoßen fühlen. Unabhängig davon, ob sich das Anhaften in Form von Verlangen oder von Ablehnung ausdrückt, rufen diese Tendenzen alle sonstigen emotionalen Reaktionen hervor, mit denen wir den Dingen oder Ereignissen begegnen. So entstehen all unsere Geistestrübungen.

Abhängig vom jeweiligen Wirklichkeitsverständnis gibt es innerhalb der einzelnen buddhistischen Schulen unterschiedliche Auffassungen über die Natur dieser Trübungen und ihre Ursachen. Offenbar sind die philosophisch anspruchsvolleren Schulrichtungen des Buddhismus hier zu einem gründlicheren Verständnis gelangt. Der große indische Meister Nagarjuna hat zum Beispiel gesagt, Nirvana müsse als das Freisein von

Geistestrübungen und den aus ihnen resultierenden karmischen Handlungen aufgefasst werden.

Leid wird von unseren karmisch bedeutsamen Handlungen verursacht. Unsere negativen Gedanken und Emotionen sind die ihnen zu Grunde liegenden und sie motivierenden Kräfte. Diese wiederum werden von unseren Projektionen und Einbildungen hervorgebracht, die ihrerseits durch eine fehlerhafte Wahrnehmung der Wirklichkeit verursacht werden. Fehlerhafte Wirklichkeitswahrnehmung bedeutet hier, die Dinge und Ereignisse so zu registrieren, als hätten sie ein objektives, reales, eigenständiges Dasein.

Nagarjuna zufolge wird diese fundamentale Unwissenheit, diese grundlegende Fehlwahrnehmung der Welt, durch Einsicht in die Leerheit behoben. Hier besteht also ein direkter Bezug zur dritten Grundwahrheit – alle Phänomene sind leer und ohne eigenständiges Dasein: Unsere gewöhnliche Wahrnehmung verleitet uns zwar zu der Annahme, die Dinge seien dauerhaft, real und verfügten über ein gewisses Eigendasein; aber durch Analyse finden wir heraus, dass ihnen diese Eigenschaften in Wahrheit fehlen.

So erkennen wir, dass jede Wahrnehmung, die uns glauben macht, die Dinge hätten ein eigenständiges, ihnen selbst innewohnendes Dasein, eine fehlerhafte Wahrnehmung ist, die allein durch Einsicht in die Leerheit behoben werden kann. Viele durch unsere fehlerhafte Wirklichkeitsauffassung verursachten negativen Gedanken und Emotionen werden also durch das Zustandekommen dieser Einsicht bereinigt, indem wir Einblick in die wahre Natur unserer Wahrnehmungen gewinnen und fehlerhafte Wahrnehmungen erkennen.

Aus all dem können wir nun ein Resümee ziehen: Durch eigenes Nachdenken wird uns klar, dass der ursprüngliche Geist, die Natur des Bewusstseins, neutral ist – weder positiv noch negativ. Auch erkennen wir, dass unsere negativen Gedanken und Emotionen zum Großteil von unserer grundlegend fehlerhaften Art und Weise herrühren, die Wirklichkeit der Welt und unsere eigene Wirklichkeit aufzufassen. Ferner werden wir gewahr, dass Einsicht in die Leerheit sämtlicher Phänomene dieser fehlerhaften Wahrnehmung entgegenwirkt.

Zugleich wird uns klar, dass negative Emotionen einerseits und Einsicht andererseits einen antagonistischen Gegensatz bilden. Einsicht beruht auf gültiger Erfahrung und Überlegung, und sie wird durch beide verstärkt. Im Unterschied dazu lässt sich jedoch weder aus rationaler Überlegung noch aus der Erfahrung ein triftiger Grund für negative Emotionen herleiten. Unter Berücksichtigung all dieser Gesichtspunkte wird uns deutlich, dass wir unsere Geistestrübungen ausnahmslos bereinigen können, indem wir Einsicht in die Leerheit sämtlicher Phänomene entwickeln.

4. Nirvana ist wahrer Frieden

Das vierte Siegel verweist auf die Tatsache, dass die essenzielle Natur des Geistes licht und rein ist. Ihr wohnen weder fehlerhafte Wahrnehmungen noch negative Gedanken und Emotionen inne. Weil die Geistestrübungen von fehlerhafter Wahrnehmung verursacht werden, lassen sie sich durch ein Gegenmittel bereinigen: Einsicht in die Leerheit aller Dinge, die richtige Wahrnehmung der Wirklichkeit. Deshalb bezeichnet man Leerheit, das Fehlen von Eigendasein, mitunter als «natürliches Nirvana». Da die Phänomene ihrer Natur nach leer sind, ist wirkliches Nirvana, wirkliches Freisein von Leid, möglich.

Das erklärt, warum in den buddhistischen Texten vier Arten von Nirvana beschrieben werden: natürliches Nirvana, das sich auf Leerheit bezieht; Nirvana mit «Überrest», das sich im Allgemeinen auf die fortgesetzte physische Existenz des Individuums bezieht; restloses Nirvana; und schließlich nichtverweilendes Nirvana. Das natürliche Nirvana ist die Basis für alle anderen Stufen von Nirvana.

Zur genauen Bedeutung von Nirvana mit Überrest und von restlosem Nirvana geben die einzelnen buddhistischen Schulen unterschiedliche Erklärungen. Einige sprechen von dem Überrest als den physischen «Anhäufungen» des Individuums, während andere unter dem Überrest die dualistischen Wahrnehmungen verstehen. Der Überrest der physischen Anhäufungen bezieht sich auf die physischen Komponenten, die das Individuum als Resultat früheren Karmas erworben hat. Auf diese Fragen werde ich hier jedoch nicht detaillierter eingehen.

Das dritte Siegel hat uns also im Wesentlichen vor Augen geführt, was die grundlegende Natur der Wirklichkeit kennzeichnet: das Fehlen von Eigendasein. In der gesamten Erscheinungswelt führt nichts, was auf andere Faktoren zurückgeht, ein unabhängiges Eigendasein.

Trotzdem fassen wir die Phänomene fälschlich so auf, als seien sie autonom. Diese fehlerhafte Wahrnehmung wird zum Ausgangspunkt eines Großteils unserer Verwirrung und lässt auch die getrübten Gedanken und Emotionen entstehen. Indem die Einsicht in die Natur der Wirklichkeit ans Licht bringt, dass die Dinge ohne Eigendasein sind, wirkt sie als Mittel gegen fehlerhafte Wahrnehmungen und folglich gegen die Geistestrübungen. Unter «Nirvana» versteht man die vollständige Bereinigung sämtlicher negativer Gedanken und Emotionen wie auch der ihnen zu Grunde liegenden fehlerhaften Wahrnehmungen.

Der tibetische Ausdruck für Nirvana, *nyang-de*, lässt sich wörtlich mit «jenseits von Kummer und Leid» übersetzen. Kummer bezieht sich in diesem Zusammenhang auf die Geistestrübungen. Nirvana bezeichnet also einen Zustand der wirklich vollzogenen Befreiung von getrübten Gedanken und Emotionen. Nirvana ist das Freisein von Leid und von den Ursachen des Leids. Wenn wir Nirvana in diesem Sinn verstehen, wird uns klar, was «wahres und unverfälschtes Glück» wirklich bedeutet. Daher können wir uns die Möglichkeit, von Leid vollkommen frei zu sein, vorstellen.

Lassen Sie mich diese Gedankengänge noch einmal kurz zusammenfassen: Durch Einsicht in die Leerheit können wir unsere negativen Gedanken und Emotionen bereinigen und zugleich die fehlerhaften Wahrnehmungen, die sie untermauern, auflösen. In der Leerheit werden all diese Verunreinigungen gereinigt und geläutert. Ein buddhistisches Verständnis von Nirvana – das ist der entscheidende Punkt – muss also auf dem Verständnis von Leerheit beruhen.

Verdient der Weg unser Vertrauen?

In Anbetracht der bisherigen Überlegungen werden Sie vielleicht denken: «Das klingt ja alles recht vernünftig und scheint durchaus schlüssig zu sein. Doch welchen Beleg haben wir, dass diese Argumente stichhaltig sind und ihrer Logik eine reale Bedeutung zukommt? Gibt es einen für uns sichtbaren oder erfahrbaren Beweis?»

Bei dieser Frage würde ich gern auf eine Erklärung zurückgreifen, die ich persönlich hilfreich finde. Sie findet sich bei den Sakyapa im Rahmen der Lamdre-Belehrungen, der Belehrungen über den Weg und die Verwirklichung des Ziels: Durch vier Faktoren, so heißt es hier, erhält Wissen eine verlässliche Grundlage – durch verlässliche Schriften, die verlässlichen Abhandlungen beziehungsweise Kommentare dazu, verlässliche Lehrer und verlässliche Erfahrung.

Ausgangspunkt waren die verlässlichen Schriften. Sie wurden zuerst gelehrt und später durch verlässliche Kommentare ergänzt. Aus ihrem Studium gingen verlässliche Lehrer hervor, die diese Kommentare beherrschten und auf Grund dessen verlässliche Erfahrungen machten.

Wenn es allerdings darum geht, für uns selbst eine innere Gewissheit, Vertrauen in den Weg und die Verwirklichung des Ziels zu entwickeln, wird die umgekehrte Reihenfolge empfohlen. Eine persönliche Erfahrung muss also am Anfang stehen. Nehmen wir die Kontemplation über Themen wie die Vier Siegel, die Leerheit der Erscheinungswelt oder die Vorzüge des Altruismus als Beispiel: Sofern wir nicht schon über ein gewisses Vorverständnis oder eine persönliche Erfahrung, das heißt einen ersten Einblick in ihren Wahrheitsgehalt verfügen, werden wir aus solchen Kontemplationen schwerlich genügend Inspiration gewinnen, um diese Praxis beharrlich fortzuführen.

Spirituelle Erfahrung gibt es natürlich auf vielen verschiedenen Ebenen und in zahlreichen Abstufungen. Man kann – anders als es etwa bei mir der Fall ist – hochgradig verwirklicht sein. Aber es existiert auch eine erste, uns allen zugängliche Stufe. So merke ich, dass mich die Kontemplation über die Vorzüge von Mitgefühl und Altruismus immer wieder zutiefst bewegt.

Woher aber wissen wir, ob solche Erfahrungen verlässlich sind? Zum Beispiel können wir darauf achten, wie sie sich auf uns auswirken. Wenn wir über bestimmte Geistesqualitäten nachsinnen, sie entwickeln und tiefe Inspiration aus ihnen beziehen, so ruft dies ein Gefühl von innerer Stärke hervor. Diese Erfahrung macht uns mutiger und offener, wir sind weniger besorgt und nicht so leicht verunsichert – lauter Hinweise auf die Verlässlichkeit unserer Erfahrung.

Die Besinnung auf bestimmte Geistesqualitäten bewegt mich, wie ich eben erwähnt habe, oft sehr; und auf Grund dieser starken Inspiration empfinde ich zunehmend größere Bewunderung für die Meister, die diese Eigenschaften personifizieren. Diese Art der Kontemplation verhilft mir zu der Einsicht, dass die Biografien der großen Meister und die darin enthaltenen Berichte über spirituell hoch verwirklichte Menschen so manche Wahrheit enthalten. Sicher, häufig müssen wir hierbei einen Hang zur Übertreibung in Kauf nehmen, besonders wenn Schüler uns mit allzu großer Begeisterung die Qualitäten ihres Gurus deutlich machen wollen. Wir dürfen deshalb aber nicht gleich ein ganzes literarisches Genre als unglaubwürdig abtun. Das wird der Sache nicht gerecht. Es muss schon einige Berichte über Meister geben, die sich auf echte Erfahrungen beziehen.

Im Übrigen gibt es auch sonst Übertreibungen in der buddhistischen Literatur. Wenn ich lese, was ein großer Gelehrter zu ein paar Zeilen von einem seiner Meister geschrieben hat, so ist der Kommentar manchmal derart detailliert und umfassend, dass sich für mich die Frage stellt, ob der Autor des kurzen Originaltextes tatsächlich all diese Aspekte im Sinn hatte.

Wenn Sie auf Grund Ihrer persönlichen Erfahrung einen Bezug zu den Erfahrungen haben, die in den Biografien der Meister geschildert werden, wird sich bei Ihnen große Bewunderung für die authentischen Meister einstellen. Ausgehend von der authentischen Erfahrung, wenden Sie sich den authentischen Meistern zu. Empfinden Sie erst einmal Respekt vor den Meistern, so entwickeln Sie auch Vertrauen in deren Schriften. Das wiederum hilft Ihnen, tiefes Vertrauen zu den eigentlichen Quellen der Lehren zu entwickeln – den buddhistischen Schriften. Ich persönlich halte es für einen sehr guten Zugang zu den Lehren, wenn Sie dergestalt von Ihrer persönlichen Erfahrung ausgehen, dem Eckpfeiler Ihrer spirituellen Praxis.

Ein praktizierender Buddhist, besonders wenn er oder sie Mahayana praktiziert, sollte auf jeden Fall große Bewunderung für den Buddha empfinden; und zwar eine Bewunderung, die auf tiefer Einsicht in die Essenz seiner Lehre, des Dharma, beruht. Das Verständnis des Dharma wiederum sollte auf dem Verständnis von Selbst-losigkeit oder Leerheit basieren, das ich bereits angesprochen habe. Für einen ernsthaft praktizierenden Buddhisten ist der Buddha nicht einfach nur eine historische Gestalt, ein bedeutender Lehrer, der über bewundernswerte, ganz außergewöhnliche Eigenschaften und über unermessliches Mitgefühl verfügte. Ein Buddhist sollte mit dem Wichtigsten und Tiefgründigsten vertraut sein, was der Buddha uns gelehrt hat – mit der Leerheit –, und darauf sollte seine Wertschätzung für den Buddha gründen.

Buddhaschaft, die vollständige Erleuchtung, ist der Inbegriff der vier Kayas, der vier «Buddha-Körper». Darüber sollte sich solch ein Mensch im Klaren sein. Dieses Prinzip ist in Verbindung mit einem weiteren grundlegenden Sachverhalt zu verstehen: Auf der letztendlichen Ebene sind Geist und Körper nicht-dual. Daher sollte der vollauf erleuchtete Zustand als die vollkommene Nicht-Dualität von Weisheit und Mitgefühl verstanden werden.

Ich fasse die bisherigen Überlegungen zusammen: Die Vier Siegel, die Grundwahrheiten der buddhistischen Lehren, führen uns vor Augen, dass jenes Leid, das wir alle nicht erleben wollen, die Folge von getrübten Gedanken und Emotionen ist. Diese wiederum werden durch fehlerhafte Sichtweisen hervorgerufen. Dabei handelt es sich vor allem um diese vier: die Dinge für unvergänglich halten; glauben, dass vergängliche Dinge Glück bringen werden; Dinge für begehrenswert halten; und glauben, dass die Dinge sich eines unabhängigen Eigendaseins erfreuen. Diese Auffassungen können ausnahmslos durch Einsicht in die wahre Natur der Wirklichkeit bereinigt werden. Indem man diese Einsicht entwickelt und vertieft, werden allmählich die fehlerhaften Sichtweisen von Grund auf beseitigt und die von ihnen herrührenden Gedanken und Emotionen ebenso. Dieser Prozess, durch den sich die innere Wandlung vollzieht, erfordert Disziplin.

In Hinblick auf die eigentliche Methode zur Umwandlung von Herz und Geist spricht die buddhistische Überlieferung grundsätzlich in zweierlei Hinsicht vom spirituellen Weg: vom «Methodenaspekt» einerseits, vom «Weisheitsaspekt» andererseits. Man könnte sagen, dass der Methodenaspekt – die vielfältigen Mittel, die auf dem Weg geschickt eingesetzt werden – einer Vorbereitungsphase entspricht. Er befähigt den Praktizierenden, anschließend von jener Weisheit oder Einsicht Gebrauch zu machen, die negative Geistestrübungen unmittelbar beseitigt.

FRAGEN AN DEN DALAI LAMA

Frage: In der Hektik des Großstadtlebens gerät man manchmal in Versuchung fortzugehen, an einem ruhigen Ort zu
meditieren und die Welt hinter sich zu lassen. Was sagen Sie
dazu: Sollte man weiter seinen normalen Lebensstil aufrechterhalten oder der Verlockung nachgeben, ihm zu entkom-
men?

Dalai Lama: Das hängt sehr stark von dem betreffenden Menschen ab. Im Fall eines weit fortgeschrittenen Praktizierenden, der sich völlig unbeirrbar einem Leben in Meditation
und Zurückgezogenheit verschrieben hat, könnte es durchaus so sein, dass der oder die Betreffende versuchen sollte, ein
abgeschiedenes Leben zu führen und der Welt gleichsam zu
entsagen. Es heißt, dass dies die höchste Form von spiritueller
Praxis ist. Sie eignet sich jedoch keineswegs für jeden, der
praktiziert. Tatsächlich sind Praktizierende dieses Formats
sehr selten.

Für Praktizierende wie uns ist es im Allgemeinen weit
wichtiger, ein vollwertiges Mitglied der Gesellschaft zu sein,
jemand, der einen positiven sozialen Beitrag leistet und die
spirituelle Praxis so weit wie möglich in seinen Lebensalltag
integriert. Man muss einfach morgens oder abends die Zeit
finden, einige Kontemplationsübungen durchzuführen, zu
meditieren, und so weiter. Für die meisten von uns ist das der
beste Weg. Andernfalls kann es sein, dass Menschen, die der
Gesellschaft entfliehen und einige Zeit alleine verbringen,
später klar wird, wie schwer sich das in die Tat umsetzen lässt.
Schließlich versuchen sie dann klammheimlich und unter
mancherlei Schwierigkeiten einen Rückweg in die Gesellschaft zu finden!

Frage: Eure Heiligkeit, welche Art der Meditation empfehlen
Sie für Anfänger?

Dalai Lama: Widmen Sie sich der Kontemplation über die

Vergänglichkeit. Und falls Sie etwas weiter reichende Kenntnisse haben, können Sie über die Natur des Leids nachsinnen – oder über das Aufhören des Leids. Die Kontemplation über die Vier Edlen Wahrheiten ist die Basis des Buddha-Dharma. Als Anfänger sollten Sie daher, statt sich als Gottheit zu visualisieren, über diese Zeilen nachsinnen!

Mantras halten lediglich Ihre Lippen in Bewegung. Bei einem Anfänger sind der Mantra-Praxis meiner Ansicht nach gewisse Grenzen gesetzt. Ein Meister aus Amdo, Osttibet, hat einmal gesagt: Wenn ihr allzu viele Mantras rezitiert und währenddessen die Perlen der Gebetskette durch die Finger gleiten lasst, werden sich womöglich nicht eure negativen Emotionen verringern, sondern nur eure Fingernägel kürzer werden!

Frage: Eure Heiligkeit, ich habe eine Frage zu den Gebeten im Buddhismus. Wenn es keinen Gott gibt, zu wem oder was betet man dann?

Dalai Lama: Gewöhnlich wenden wir uns an höhere Wesen – an Buddhas, Bodhisattvas und andere Wesen, die mehr vermögen als wir. So betet man im Buddhismus. Doch diese höheren Wesen waren nicht von Anfang an höhere Wesen. Ursprünglich waren sie wie wir, und indem sie ihren Geist schulten, wurden sie schließlich zu Buddhas und Bodhisattvas. So verhält sich das nach unserer Auffassung.

Frage: Können wir die tibetische Mantra-Rezitation und verschiedene Visualisierungen mit der Vipashyana-Praxis kombinieren – nicht so, dass man in derselben Meditationssitzung beides miteinander vermischt, sondern zu verschiedenen Zeiten des Tages? Ich habe den Eindruck, beide Arten von Praxis zu brauchen. Ist das verkehrt? Würden Sie uns erläutern, wie Sie das sehen?

Dalai Lama: Selbstverständlich lässt sich beides tadellos miteinander kombinieren. Auch aus Sicht des tibetischen Buddhismus sind die Kontemplationen im Rahmen der Vipashyana-

Übung das eigentliche Herzstück der Praxis. Die Mantra-Rezitationen und Visualisierungen, die man im Vajrayana durchführt, kommen ergänzend hinzu. Sie intensivieren die eigentliche Praxis, die Kontemplation.

Wir laufen Gefahr, dass die Menschen den Eindruck gewinnen, wer Buddhismus nach tibetischer Art praktizieren wolle, müsse all die rituellen Aspekte berücksichtigen: die Langhörner blasen, die tibetische Klarinette und die Becken spielen, und so weiter. Doch darin besteht nun wirklich nicht die Essenz der Praxis. Wie ich vielfach – auch den Tibetern – erklärt habe, ist das vielleicht bedeutendste Vorbild aus der tibetischen Geschichte der große Meditierende Milarepa: Sein Leben verkörpert die wahre Praxis des tibetischen Buddhismus. Wenn man ihn in seiner Meditationshöhle aufgesucht hätte, hätte man dort ganz bestimmt keine Langhörner, Becken oder Klarinetten vorgefunden.

Als im 11. Jahrhundert der indische Meister Atisha in Tibet eintraf, kam ihm, so wird erzählt, eine ganze Schar tibetischer Lamas entgegen. Denn man wollte ihm einen großen Empfang bereiten. Schon von weitem sah Atisha die Lamas herankommen: eindrucksvolle Erscheinungen auf Pferden, die mit Stoffen in prächtigen Farben und mit Glocken reich geschmückt waren. Und die Lamas selbst trugen imposante Gewänder und bunte Hüte, von denen manche die Form eines Vogelkopfes hatten. In seiner Überraschung rief Atisha verdutzt aus: «Oh, die tibetischen Geister kommen!» Und er verbarg sein Gesicht, denn er wollte nicht hinschauen. Er dachte, es handle sich womöglich um eine Halluzination. Die Tibeter begriffen, weshalb er sich so verhielt. Also stiegen sie von ihren Pferden, ließen diese fortbringen und zogen sich einfache Mönchsroben an. Als sie danach zu dem indischen Meister kamen, empfing er sie freudig.

Viele Tibeter kennen diese Geschichte, und wir erzählen sie uns immer wieder aufs Neue. Dessen ungeachtet zieht uns jedoch offenbar das farbenfrohe Ritualzubehör immer wieder in seinen Bann. Als ich noch in Lhasa lebte, war natürlich auch ich in teuren Seidenbrokat gekleidet. Doch ich glaube, wenn wir diesen Dingen zu viel Aufmerksamkeit schenken, verflachen sowohl die Lehren als auch die Rituale und beginnen ihre Bedeutung zu verlieren.

Jetzt, als Flüchtlinge, haben wir eine sehr gute Gelegenheit, diese Dinge zu ändern. Ich habe aufgehört, all diese kostspieligen Kleidungsstücke anzuziehen. Meine schlichte Mönchsrobe trägt sich gut; sie ist leicht zu waschen und wirklich bequem. Brokat dagegen kratzt auf der Haut, lässt sich nicht gut waschen und wird vor allem in der Hitze Indiens sehr schnell schmutzig. Würde man eine dieser Westen, wie Mönche sie in Tibet tragen, genauer in Augenschein nehmen, fände man mit ziemlicher Sicherheit Schmutz am Kragen, der noch von vergangenen Generationen herrührt. Solche Dinge halte ich wirklich für töricht. Immer wieder sprechen wir den Namen des Buddha aus. Doch indem wir in unserer Praxis so verfahren, missachten wir die Weisungen des Buddha; und das ist sehr bedauerlich.

Ob wir eine Religion ausüben oder nicht, bleibt voll und ganz unserer persönlichen Entscheidung überlassen. Entschließen wir uns allerdings dazu, so sollten wir sie ernst nehmen und von ganzem Herzen praktizieren. Das ist wichtig. Und daher ist es meines Erachtens für die Buddhisten an der Zeit, manch überkommene Gepflogenheit zu überprüfen. Dasselbe gilt auch für andere religiöse Überlieferungen.

Bekennen Sie sich zu einer Religion, so sollten Sie das ernsthaft und aufrichtig tun und sie in Ihrem Lebensalltag in die Tat umsetzen. Dann wird sie von erheblichem Wert für Sie sein. Ein Glaubensbekenntnis jedoch, das sich in Brauchtum erschöpft, taugt nicht viel.

2

Wandlung durch Altruismus

Bodhichitta – die altruistische Geisteshaltung

«Die Acht Strophen zur Umwandlung des Geistes» von Geshe Langri Thangpa (siehe Anhang I, S. 137 ff.) geben uns eine Anleitung zur Praxis von Bodhichitta, der altruistischen Geisteshaltung, mit der wir zum Wohl aller empfindenden Wesen nach Erleuchtung streben. Bevor wir detailliert auf den Text der acht Strophen eingehen, wollen wir zu verstehen versuchen, was Bodhichitta bedeutet.

Maitreya gibt im «Schmuck der Verwirklichung» *(Abhisamayalamkara)* eine Definition von Bodhichitta und erläutert die beiden Aspekte des Altruismus. Der erste Aspekt ist die Bedingung für das Entstehen der altruistischen Geisteshaltung. Eine altruistische Geisteshaltung setzt zweierlei voraus: Wir müssen Mitgefühl für alle empfindenden Wesen entwickeln; ferner das Bestreben, das Wohl aller empfindenden Wesen zu erwirken. Daraus ergibt sich der zweite Aspekt. Er besteht in unserem Wunsch nach Erleuchtung, der von unserem Interesse am Wohlergehen sämtlicher Wesen motiviert sein sollte.

Bodhichitta, so ließe sich formulieren, ist die höchste Stufe des Altruismus und die höchste Form von Mut. Wir könnten auch sagen, Bodhichitta ist das Ergebnis der höchsten altruistischen Aktivität. Mit Bodhichitta, so erklärt Lama Tsongkhapa in der «Großen Darlegung des Stufenwegs zur Erleuchtung» *(Lamrim Chenmo)*, verhält es sich folgendermaßen: Während wir darauf hinwirken, die Wünsche der anderen zu erfüllen, kommt dies nebenher auch uns selbst zugute. Das ist eine vernünftige Art, uns selbst ebenso von Nutzen zu sein wie den anderen Wesen. Meiner Ansicht nach ist Bodhichitta etwas wirklich Wundervolles. Je mehr wir bestrebt sind, anderen zu helfen, und je mehr Fürsorglichkeit wir für andere empfinden, desto größeren Nutzen tragen wir selbst davon.

Wenn wir uns eingehender mit den positiven Seiten von Bodhichitta befassen, stellen wir fest, dass es sich hier um eine der wirksamsten Methoden zur Ansammlung von Verdiensten und zur Erhöhung unseres spirituellen Potenzials handelt – außerdem um eins der stärksten Mittel gegen negative Neigungen und destruktive Triebkräfte. Da die Essenz des spirituellen Weges darin besteht, negative Neigungen abzulegen und unser spirituelles Potenzial zu vergrößern, ist die Praxis zur Entwicklung von Altruismus in der Tat die großartigste und wirkungsvollste Praxis überhaupt. Sie verdient unsere ganze Aufmerksamkeit und höchsten Respekt.

Ferner erklärt Maitreya in einem Wunschgebet, eben dieses Bodhichitta könne uns nach dem Tod vor einem eventuellen Abstieg in die niederen Daseinsbereiche bewahren; es könne uns zu höheren und günstigeren Wiedergeburten verhelfen und uns sogar zu dem Zustand jenseits von Alterung und Tod führen.

Maitreya gibt hier einen wirklich bemerkenswerten Hinweis. Denn den buddhistischen Lehren zufolge schützt uns eigentlich ein von ethischem Verhalten bestimmter Lebenswandel vor einer Wiedergeburt in den niederen Daseinsbereichen. Die Bodhichitta-Praxis übertrifft jedoch nach Maitreyas Aussage jede ethische Praxis und bietet weitaus größere Vorzüge. Ebenso erklärt er, dass wir mit Bodhichitta eher die Voraussetzungen für eine höhere Form von Wiedergeburt schaffen können.

Im Grunde lässt sich somit sagen: Die Praxis zur Hervorbringung und Entwicklung der altruistischen Geisteshaltung ist so umfassend, dass sie die Grundelemente jeder anderen Art von spiritueller Praxis beinhaltet. Man kann also sie allein anstelle vieler verschiedener Methoden ausüben. Denn dieser eine Ansatz trägt die Essenz aller anderen Methoden in sich. Deshalb sehen wir in der Bodhichitta-Praxis die Quelle für zeitliches wie für unvergängliches Glück.

Wenn Sie sich die Leitlinien für die Bodhichitta-Praxis anschauen, wird Ihnen klar, dass diese Praxis ungeheuren

Mut voraussetzt. In seinem Text «Der Kostbare Kranz» *(Rat-navali)* schreibt Nagarjuna:

> Möge ich allen empfindenden Wesen stets
> ihren Wünschen entsprechend zur Freude gereichen
> und von Hindernissen ebenso frei sein wie Erde,
> Wasser, Feuer, Wind, Arzneien und Wälder.

> Möge ich den empfindenden Wesen so sehr
>   am Herzen liegen
> wie ihr eigenes Leben. Mögen sie mir ebenso sehr
>   am Herzen liegen.
> Mögen ihre Verfehlungen sich bei mir auswirken
> und all meine Vorzüge ihnen zugute kommen.

Diese Aussagen zeugen von ungeheurem Mut. Dieser Altruismus ist derart umfassend, dass er sich auf ausnahmslos alle Wesen erstreckt und auf keine spezielle Zeitspanne beschränkt. In einer Strophe (Kapitel 10, Strophe 55) seines *Eintritt in das Leben zur Erleuchtung (Bodhicharyavatara)* bringt auch Shantideva diesen jede raumzeitliche Begrenzung überschreitenden Mut zum Ausdruck.

> Solange der unermessliche Raum Bestand hat
> und solange es noch empfindende Wesen gibt,
> möge auch ich ausharren,
> um das Leid aus der Welt zu verbannen.

Wenn sich die altruistische Geisteshaltung auf Einsicht in die Leerheit stützt, insbesondere auf die unmittelbare Verwirklichung von Leerheit, hat man, wie es heißt, beide Dimensionen von Bodhichitta erreicht. Diese werden als konventionelles (bzw. relatives) und als letztendliches (bzw. absolutes) Bodhichitta bezeichnet. Indem er oder sie beides – Mitgefühl und Weisheit – praktiziert, hat ein Praktizierender alle Mittel in der Hand, das höchste Ziel zu erreichen.

Der oder die Betreffende ist ein wirklich großartiger Mensch, dem unsere Bewunderung gebührt.

Wem es gelingt, diese Geistesqualitäten bei sich selbst zu entwickeln, der kann dann, wie Chandrakirti es in seinem «Eintritt in den Mittleren Weg» *(Madhyamakavatara)* sehr poetisch beschreibt, mit dem einen Flügel, der altruistischen Geisteshaltung, und dem anderen Flügel, der Einsicht in die Leerheit, den Raum zur Gänze durchqueren und sich über den Zustand der Existenz hinaus in die Bereiche der vollkommen erleuchteten Buddhaschaft emporschwingen.

Über ein wenig Erfahrung mit diesen beiden Dimensionen von Bodhichitta verfüge ich durchaus. Allerdings habe ich sie, glaube ich, nur in sehr geringem Maß verwirklicht. Dessen ungeachtet verspüre ich den geradezu enthusiastischen Wunsch zu praktizieren, und das allein inspiriert mich schon ganz außerordentlich. Wir alle sind, wie ich bereits bei zahlreichen Gelegenheiten gesagt habe, nach meiner Überzeugung auf grundlegende Weise gleich und haben dasselbe Ausgangspotenzial. Einige von Ihnen verfügen, daran zweifle ich nicht im Geringsten, über weit mehr Intelligenz als ich. Deshalb sollten Sie sich bemühen, sich der Kontemplation zu widmen, nachzudenken und zu meditieren.

Doch hegen Sie bitte keine kurzfristigen Erwartungen. Sie sollten dieselbe Haltung einnehmen wie Shantideva – ausharren wollen, um das Leid aus der Welt zu verbannen, solange der Raum Bestand hat. Wenn Sie so viel Entschlossenheit und so viel Mut haben, Ihre Fähigkeiten zu entwickeln, bedeuten Ihnen einhundert Jahre, ein Äon, eine Million Jahre nichts. Außerdem werden Sie die verschiedenen menschlichen Probleme nicht als unüberwindlich ansehen. Solch eine Haltung, solch eine Sicht der Dinge, verschafft Ihnen wahre innere Stärke. Vielleicht meinen Sie, wer so denke, gebe sich einer Illusion hin. Aber selbst wenn dies so wäre, würde das keine Rolle spielen. Ich finde es einfach hilfreich!

Nun stellt sich die Frage, wie wir uns darin schulen können, Bodhichitta zu entwickeln. Die beiden Aspekte von

Bodhichitta, über die wir eben gesprochen haben – das Bestreben, anderen eine Hilfe zu sein, und das Bestreben, die eigene Erleuchtung zu verwirklichen –, müssen unabhängig voneinander durch getrennte Übungen entwickelt werden, wobei das Bestreben, anderen eine Hilfe zu sein, als Erstes in Angriff zu nehmen ist.

Der Wunsch, das Wohl der anderen zu bewirken, kann selbstverständlich auch beinhalten, sie von ihren ganz offensichtlichen Leiden und ihrem physischen Schmerz zu befreien. Das ist allerdings in diesem Zusammenhang nicht gemeint. Das Wohl der anderen zu bewirken bedeutet tatsächlich, ihnen zur Befreiung zu verhelfen.

Wir müssen also zunächst einmal verstehen, was mit Befreiung gemeint ist. Dies führt zurück auf das Verständnis von Leerheit. Denn Nirvana, wie es in den buddhistischen Lehren definiert wird, muss im Sinn von Leerheit aufgefasst werden. Ohne deren Verständnis ist nicht wirklich zu begreifen, worin wahre Befreiung besteht. Und solange das nicht der Fall ist, wird sich auch kein starkes Bestreben einstellen, Befreiung zu erlangen.

Das zweite Bestreben – vollständig erleuchtet zu werden – steht ebenfalls in unmittelbarer Beziehung zu unserem Verständnis von Leerheit. Das tibetische Wort für Erleuchtung lautet *dschang-dschub*, der entsprechende Ausdruck in Sanskrit *bodhi*. Schauen wir uns die Etymologie der beiden tibetischen Silben an. *Dschang* bedeutet «Reinigung» oder «gereinigt»; es bezieht sich auf eine Eigenschaft des vollkommen erleuchteten Buddha und soll besagen, dass sämtliche negativen Merkmale und geistigen Verunreinigungen überwunden sind. Die zweite Silbe, *dschub*, bedeutet wörtlich «verwirklicht haben», und dies bezieht sich auf eine weitere Eigenschaft des Buddha: die Vollendung allen Wissens und aller Verwirklichung. Der tibetische Begriff für Erleuchtung, *dschang-dschub*, lässt uns also ebenso an die Überwindung unserer negativen wie auch an die Vollendung unserer positiven Eigenschaften denken. Hier besteht eine unmittelbare Verbindung zu unserem

Verständnis von Leerheit. Denn wir müssen uns darüber im Klaren sein, dass wir die negativen Aspekte des Geistes bereinigen können, und eine gewisse Vorstellung davon haben, wie dies geschehen kann und was die vollkommene Freiheit ausmacht.

Zum intelligenten Umgang mit den buddhistischen Lehren

Wie bereits angesprochen, legen jene Schriften, die uns einen Überblick über die eigentliche Praxis der Geistesschulung geben, zwei Hauptaspekte des Weges dar: den Methoden-Aspekt und den Weisheits-Aspekt. In der Darstellung und im Verständnis des Methoden-Aspekts unterscheiden sich die diversen buddhistischen Schulen nur unwesentlich voneinander, wenngleich es vorkommen kann, dass dieser oder jener Praxis ein anderer Stellenwert beigemessen wird. Im Hinblick auf den Weisheits-Aspekt allerdings sind sehr wohl Unterschiede vorhanden.

Zahlreiche Schriften werden dem historischen Buddha zugeordnet. Doch selbst innerhalb des Kanons, der die Worte des Buddha enthält, haben spätere buddhistische Schulen, vor allem die Nur-Geist-Schule (Chittamatra) und die Schule des Mittleren Weges (Madhyamaka), die Texte in zwei Kategorien eingeteilt: in solche, die in einem buchstäblichen Sinn aufgefasst werden dürfen, und solche, die nicht wörtlich zu nehmen sind, sondern einer Deutung bedürfen.

Aber wie können wir entscheiden, ob eine Schrift im buchstäblichen Sinn zu verstehen ist oder nicht? Müssten wir, um diese Unterscheidung vornehmen zu können, auf eine weitere Schrift zurückgreifen, so würde das lediglich die nächste Frage nach sich ziehen: Wie wäre für uns ersichtlich, dass jene Schrift, auf die sich unser Urteil stützt, beim Wort zu nehmen ist? So geriete die Argumentation in einen endlosen

Regress – was den Schluss nahe legt, dass wir uns hier letztlich nur auf die eigene Erfahrung und Überlegung verlassen können. Kritisches Denken spielt daher für das Schriftverständnis im Buddhismus eine Schlüsselrolle. Das können wir auch dem folgenden Zitat entnehmen, das dem Buddha zugeschrieben wird.

Genau wie die Menschen die Reinheit des Goldes prüfen, indem sie es einschmelzen, zerschneiden und auf einem Prüfstein* untersuchen, so sollt auch ihr euch meine Worte erst zu Eigen machen, nachdem ihr sie einer kritischen Prüfung unterzogen habt, oh, ihr Mönche, und nicht aus Ehrerbietung mir gegenüber.

Die intelligente Art, mit den Schriften wie auch den entsprechenden Kommentaren umzugehen, besteht also in einer skeptischen und zugleich offenen Einstellung. Man stützt sich auf die eigene Erfahrung und die eigene Einsicht. Mit zunehmendem Verständnis wird dann das Vertrauen in den Gehalt der Lehren ebenso wachsen wie ganz allgemein die Bewunderung für die Lehre des Buddha.

Wer so vorgeht, wird eine Lehre oder eine Schrift nicht einfach nur deshalb anerkennen, weil sie einem berühmten Meister oder jemand anderem, dem Respekt gebührt, zugeschrieben wird. Vielmehr wird er oder sie die Zuverlässigkeit der Lehrinhalte anhand des eigenen Verständnisses beurteilen, das auf persönlicher Prüfung und Analyse beruht.

Auf eine solch intelligente Einstellung zielt auch das buddhistische Prinzip der Vier Stützen ab:

---

* Prüfsteine – glatte, dunkle Steine, oft Minerale wie Jaspis – dienten traditionell als Hilfsmittel zur Beurteilung der Reinheit von Gold- oder Silberlegierungen: Man rieb das Edelmetall an dem Prüfstein, und der Farbton des dabei entstandenen Abriebs gab über die Qualität der Legierung Aufschluss.

- Stützen Sie sich auf die Lehre und nicht auf die Person des Lehrers.
- Stützen Sie sich auf die Bedeutung und nicht einfach auf die Worte.
- Stützen Sie sich auf die letztendliche und nicht auf die relative Bedeutung.
- Stützen Sie sich auf Ihren Weisheitsgeist und nicht auf Ihren gewöhnlichen Verstand.

Mit anderen Worten, Sie sollten sich nicht davon beeindrucken lassen, wie berühmt ein Meister ist, welches Ansehen er genießt, und so weiter. Gehen Sie von dem aus, was er oder sie sagt. Sie sollten sich nicht auf die Worte stützen, sondern auf ihre Bedeutung; und zwar nicht auf die relative, sondern auf die letztendliche Bedeutung. Und schließlich sollten Sie sich nicht auf ein bloß intellektuelles Verständnis der Bedeutung stützen, sondern auf eine tiefe Erfahrung und Verwirklichung. Das sind die Kennzeichen eines intelligenten Umgangs mit den buddhistischen Lehren.

Ich möchte Ihnen vorschlagen, bei den noch folgenden Abschnitten dieser Dharma-Belehrung zu versuchen, die gerade angesprochene Einstellung – eine offene Skepsis – zu bewahren.

Die beiden altruistischen Bestrebungen

1 Das Streben nach Erleuchtung

Die als Bodhichitta bezeichnete altruistische Geisteshaltung zu entwickeln und zum Wohl aller empfindenden Wesen nach Erleuchtung zu streben ist, wie wir festgestellt haben, die höchste Form spiritueller Praxis: Sie ist der kostbarste Geisteszustand, die beste und reinste Quelle von Wohlwollen und

Güte; sie wird unseren unmittelbaren Bestrebungen ebenso gerecht wie unseren letztendlichen Bestrebungen, und sie ist die Grundlage der altruistischen Aktivität. Allerdings lässt sich Bodhichitta nur verwirklichen, indem wir uns regelmäßig mit aller Kraft darum bemühen. Um diesen vorzüglichen Geisteszustand zu erreichen, müssen wir also die Disziplin aufbringen, deren es zur Schulung und Umwandlung unseres Geistes bedarf.

Wie wir bereits erörtert haben, erfolgt die Umwandlung von Herz und Geist nicht über Nacht. Vielmehr vollzieht sie sich in einem allmählichen Prozess. Zwar können sich spirituelle Erfahrungen in manchen Fällen auch ganz unvermittelt einstellen, sie sind dann allerdings ziemlich unzuverlässig und kurzlebig. Bei plötzlichen, blitzartig auftretenden Erfahrungen besteht das Problem, dass der oder die Betreffende sich dadurch zwar zutiefst bewegt und inspiriert fühlen mag, diese Erfahrungen aber unberechenbar bleiben und nur eine recht begrenzte innere Wandlung bewirken, solange sie nicht in Disziplin und stetiger Bemühung verankert sind. Im Unterschied dazu ist eine echte Wandlung, die durch eine stetige, all unsere Kräfte in sich vereinende Bemühung zustande kommt, von Dauer, weil sie auf einer stabilen Grundlage beruht. Eine langfristige spirituelle Wandlung kann daher in der Tat nur durch einen allmählichen Schulungsprozess und durch Disziplin herbeigeführt werden.

Wie wir gesehen haben, kennzeichnen zwei Bestrebungen die altruistische Geisteshaltung – den anderen empfindenden Wesen zu helfen und um ihretwillen erleuchtet zu werden. Ferner haben wir darüber gesprochen, dass man unbedingt in den Grundzügen verstehen sollte, was mit Erleuchtung gemeint ist. Ich habe Ihnen erläutert, was der tibetische Ausdruck für Erleuchtung, *dschang-dschub*, beinhaltet: Die erste Silbe bezieht sich auf die Überwindung der negativen, die zweite auf die Vervollkommnung der positiven Eigenschaften.

Nun können wir unser Verständnis von Erleuchtung vertiefen, indem wir die Erläuterung, die Maitreya in seiner

Schrift «Sublimes Kontinuum» *(Ratnagotravibhaga)* gibt, in unsere Überlegungen mit einbeziehen. Er erklärt, dass sämtliche Verunreinigungen unseres Geistes äußerlicher Natur sind: Mit anderen Worten, sie können von der essenziellen Geistesnatur getrennt werden. Demnach haben wir also die Möglichkeit, die Trübungen des Geistes und des Herzens – getrübte Emotionen und Gedanken – zu bereinigen.

Sodann hebt Maitreya im Hinblick auf die erleuchteten Eigenschaften eines Buddha ausdrücklich hervor, dass wir alle den Samen der Vervollkommnung in uns tragen. Das Potenzial für die Vollendung, für die vollkommene Erleuchtung, ist also in jedem von uns vorhanden.

Bei diesem Potenzial handelt es sich um nichts anderes als um die essenzielle Geistesnatur. Sie ist, wie es heißt, strahlend und gewahrend – nichts weiter. Durch den Schritt für Schritt vonstatten gehenden Prozess der spirituellen Praxis können wir die Hindernisse beseitigen, die uns davon abhalten, diesen Samen der Erleuchtung zu vollendeter Reife zu bringen. Indem wir die Hindernisse Schritt für Schritt überwinden, kommt die ureigenste Bewusstseinsqualität selbst immer deutlicher zum Vorschein, bis sie die höchste Vollendungsstufe erreicht, die nichts anderes ist als der erleuchtete Geist des Buddha.

Dem Buddhismus zufolge gibt es zwei Arten von äußerlicher Verunreinigung: zunächst einmal die sichtbaren Geistestrübungen in Form unserer negativen Gedanken und Emotionen; sodann die subtilen Behinderungen des Wissens – jene Prägungen und Neigungen, die die negativen Gedanken und Emotionen durch ihr wiederholtes Auftreten in uns hinterlassen haben.

Wie wir bereits sahen, verfügen wir jedoch über die Möglichkeit, die negativen Gedanken und Emotionen von Grund auf zu beseitigen. Demzufolge sind wir auch imstande, die Neigungen zu überwinden, die durch ihr wiederholtes Auftreten hervorgerufen wurden. Sobald wir uns dessen wirklich bewusst sind, haben wir eine Vorstellung davon, was unter

Erleuchtung im buddhistischen Sinn zu verstehen ist. Im ersten Kapitel habe ich darauf hingewiesen, dass wir nur auf Grund eines gründlichen Verständnisses von Leerheit angemessen erkennen können, worin vollständige Erleuchtung besteht.

Die Lehren zahlreicher anderer spiritueller Überlieferungen Indiens beinhalten ebenfalls eine Vorstellung von Nirvana, Moksha, geistiger Freiheit. Auch werden diese Geisteszustände offenbar in manchen Überlieferungen mit einem physischen Daseinsbereich gleichgesetzt. Nach buddhistischem Verständnis ist Nirvana allerdings keine äußere Realität, sondern eben ein Geisteszustand.

Damit soll nicht gesagt sein, zwischen den einzelnen buddhistischen Schulen gebe es hinsichtlich der genauen Bedeutung von Befreiung keine unterschiedlichen Vorstellungen. Zum Beispiel steht die Vaibhashika-Schule auf dem Standpunkt, der historische Buddha Shakyamuni habe als vollständig erleuchtetes Wesen zwei der vier negativen Kräfte überwunden, nämlich die emotionalen und die gedanklichen Trübungen; außerdem die machtvollen Kräfte des Verlangens und des Anhaftens. Doch vertritt diese Schule die Auffassung, die beiden anderen negativen Kräfte habe der Buddha nicht überwunden – die Macht des Todes und die Macht der Daseinsanhäufungen, der fünf Skandhas. Unter endgültigem Nirvana verstehen die Vaibhashikas also das vollständige Verlöschen des Individuums. Demnach würde mit Verwirklichung des endgültigen Nirvana die Existenz des Individuums enden.

Zahlreiche andere buddhistische Schulen akzeptieren diese Vorstellung nicht. Es gibt zum Beispiel einen recht bekannten Einwand von Nagarjuna, der besagt, die logische Konsequenz der Vaibhashika-Sicht sei, dass kein Mensch jemals in den Zustand von Nirvana eintreten könne, weil gemäß dieser Auffassung im Moment des Eintretens das Individuum aufhören würde zu existieren.

Wie bereits dargelegt, ist die Person lediglich eine Bezeichnung für das Kontinuum der psychophysischen Komponenten (den Geist-Körper-Komplex), und wenn dieser Komplex überhaupt nicht mehr existiert, so existiert auch die Person nicht mehr. Diese Auffassung wird aber, wie gesagt, von anderen buddhistischen Schulen nicht akzeptiert.

Auch sonst wird die Vaibhashika-Lehrmeinung in vielerlei Hinsicht bestritten. In ihrer Erkenntnistheorie zum Beispiel lehnen die Vaibhashikas den Begriff «Sinneseindruck» ab. Sie meinen, Sinneswahrnehmungen entstünden infolge der unmittelbaren Wechselwirkung zwischen den Sinnesorganen und dem physischen Objekt; Sinneseindrücke, die zwischen beiden vermitteln, gebe es nicht.

Gegen diese Theorie wurde unter anderem eingewendet, aus ihr sei zu folgern, das Zustandekommen einer lebendigen Wahrnehmung erfordere die physische Anwesenheit des betreffenden Objekts. Das ist jedoch keineswegs immer der Fall. Aus persönlicher Erfahrung wissen wir, dass wir uns mitunter so lebhaft an ein Objekt erinnern können, als befinde sich dieses tatsächlich vor unseren Augen. Dennoch beruht solch eine Wahrnehmung auf unserem Erinnerungsvermögen.

Weiterhin haben die Vaibhashikas von der Natur des Bewusstseins zum Zeitpunkt des Todes eine weit dürftigere Vorstellung als andere Schulen. Anhänger dieser Richtung glauben, im Augenblick des Todes könne es einen positiven, einen negativen oder einen neutralen Geisteszustand geben. Andere buddhistische Schulen haben hingegen dargelegt, dass der Geisteszustand zum eigentlichen Todeszeitpunkt immer neutral ist, weil es sich um einen sehr subtilen Zustand handelt.

Das sind lediglich ein paar Beispiele dafür, wie unzulänglich die Vorstellungen der Vaibhashika-Schule im Vergleich mit dem differenzierten Verständnis anderer buddhistischer Schulen oftmals sind.

Nach Auffassung der anderen Richtungen beginnt mit der spirituellen Praxis nicht nur die Läuterung der negativen Aspekte von Körper und Geist; indem man die negativen Gedanken und Emotionen ebenso überwindet wie die aus ihnen hervorgehenden Neigungen und sie schließlich vollständig ablegt, vervollkommnet man zugleich die «Anhäufungen», die psychophysischen Komponenten. Daher kann diesen Schulen zufolge in dem Moment, in dem die geistigen Verunreinigungen nicht mehr existieren, das Dasein ihrer Manifestationen und Prägungen – Körper und Geist in ihrer unreinen Form – ebenfalls ein Ende haben. Das bedeutet jedoch nicht, dass auch das eigentliche Persönlichkeitskontinuum, das Kontinuum der psychophysischen Komponenten, aufhört zu existieren. Es gibt eine subtile Daseinsebene, die von vielen dieser sichtbaren Verunreinigungen frei ist.

Meiner Meinung nach wird hier viel Lärm um die exakte Beschaffenheit von Erleuchtung gemacht. Das Entscheidende ist, dass man wahre Befreiung und geistige Freiheit aus buddhistischer Sicht im Sinn einer Geistesqualität begreifen muss, als Freiheit von den negativen Aspekten des Geistes, den geistigen Verunreinigungen.

Wie Chandrakirti, ein berühmter indischer Lehrer der Madhyamaka-Schule, erklärt, ist die Befreiung oder das wahre Aufhören die letztendliche Wahrheit. Seiner Ansicht nach wird wahres Aufhören nur durch die Einsicht in die letztendliche Natur der Wirklichkeit – das heißt in die Leerheit – möglich. Hier haben wir also ein differenziertes, auf einem fundierten Verständnis von Leerheit beruhendes Verständnis von Nirvana. Gemäß dieser Auffassung können wir durch die Einsicht in die letztendliche Natur der Wirklichkeit die geistigen Verunreinigungen beseitigen.

Aus der Unkenntnis dieser letztendlichen Wirklichkeitsnatur resultieren alle Schleier, die unseren Geist verhüllen, all unsere Irrungen und Wirrungen. Die Leerheit des Geistes im Vollendungszustand ist wahre Befreiung. Grundlage für die wahre Befreiung ist also Leerheit. Aus der Einsicht in die Leerheit gewinnen wir das Wissen, das unsere geistigen Schleier verschwinden lässt. Und der letztliche Vollendungszustand, in dem wir frei werden, ist die Leerheit des Geistes.

Wenn wir sagen, dass die Befreiung in der letztendlichen

Natur des Geistes liegt, sprechen wir nicht in einem allgemeinen Sinn von der letztendlichen Natur des Geistes, sondern speziell von jenem Zustand, in dem das Individuum sämtliche Verunreinigungen und negativen Aspekte des Geistes überwunden hat. Das wahre Aufhören hat also zwei Dimensionen: Die eine besteht im vollständigen Freisein von geistigen Verunreinigungen und die andere in der vollständigen Auflösung jedes unabhängigen Eigendaseins. Wir können das durch die erste Strophe von Nagarjunas «Grundlegende Weisheit des Mittleren Weges» *(Mulamadhyamakakarika)* veranschaulichen:

Vor dem Vollendeten Buddha, dem allerbesten Lehrer,
werfe ich mich nieder. Er hat gelehrt,
dass alles in Bedingtheit Entstandene
ohne Ende, ohne Geburt,
ohne Zerstörung, ohne Dauerhaftigkeit,
ohne Kommen, ohne Gehen,
ohne Unterscheidungsmerkmal, ohne Identität
und frei von Begriffsbildung ist.

Nagarjuna erweist dem Buddha Respekt, indem er erklärt, dass dieser das Prinzip des bedingten Entstehens und der Leerheit gelehrt hat. Er beschreibt das Aufhören im Sinn einer vollständigen Klärung und Beruhigung aller gedanklichen Verwicklungen. Wenn der Prozess der Begriffsbildung vollkommen zur Ruhe gekommen ist, handelt es sich um wahres Aufhören.

2 Das Wohl der anderen bewirken

Die zweite Bestrebung der altruistisch ausgerichteten Geisteshaltung (Bodhichitta) besteht in dem Wunsch, für das Wohlergehen der anderen empfindenden Wesen zu sorgen. Wohlergehen im buddhistischen Sinn bedeutet, anderen zur vollständigen Befreiung von Leid zu verhelfen. Dabei bezieht sich der Begriff «andere empfindende Wesen» auf die unermesslich große Zahl von Wesen im Universum. Diese zweite Bestrebung ist zugleich der Schlüssel zur ersten – der Zielsetzung, zum Wohl sämtlicher empfindenden Wesen erleuchtet zu werden. Sie gründet in echtem Mitgefühl, das allen empfindenden Wesen gleichermaßen gilt. Mitgefühl meint hier, dass alle anderen Wesen frei von Leid sein sollten. Daher sagt man, Mitgefühl sei der Ausgangspunkt jeglichen altruistischen Wirkens und der altruistischen Geisteshaltung insgesamt.

Wir müssen ein wirklich starkes Mitgefühl entwickeln – uns so sehr verpflichtet fühlen, das Wohl sämtlicher Wesen zu bewirken, dass wir bereit sind, die Verantwortung für ihr Wohlergehen zu übernehmen. Solches Mitgefühl bezeichnet man im Buddhismus als «großes Mitgefühl». Die Literatur des Mahayana-Buddhismus hebt diesen Punkt immer wieder hervor. Großes Mitgefühl ist die Grundlage aller positiven Eigenschaften, der Ausgangspunkt des gesamten Mahayana-Weges und das Herz von Bodhichitta.

Maitreya zum Beispiel erklärt in seinem «Schmuck der Sutras» *(Mahayanasutralamkara)*, Mitgefühl sei der Ausgangspunkt von Bodhichitta. Ebenso sagt Chandrakirti in seinem «Eintritt in den Mittleren Weg» *(Madhyamakavatara)*, Mitgefühl sei eine so vorzügliche Geistesqualität, dass es jederzeit seine Bedeutung behalte: Unverzichtbar sei es nicht nur zu Beginn des spirituellen Weges, sondern auch, solange wir uns auf dem Weg befinden; und ebenso bedeutsam sei es für einen vollkommen Erleuchteten.

Ich möchte hier auf Folgendes hinaus: In den Mahayana-Schriften wird, wie uns der Blick auf einen beliebigen Text zeigt, nicht einfach nur der große Wert des Mitgefühls gerühmt. Vielmehr ist es, so heben die Autoren immer wieder hervor, die eigentliche Grundvoraussetzung jedweder spirituellen Bestrebung.

Dies verdeutlicht Dignaga, wenn er in der Eröffnungsstrophe seines «Kompendiums der verlässlichen Erkenntnis»

(Pramanasamuccaya) darlegt, der Buddha könne deshalb als zuverlässiger spiritueller Lehrer gelten, weil er die Verkörperung des Mitgefühls sei und dieses bis zur Vollendung entwickelt habe. Dignaga sieht also in der Vervollkommnung des Mitgefühls den maßgeblichen Beleg dafür, dass der Buddha ein zuverlässiger spiritueller Lehrer ist. Doch großes Mitgefühl allein macht selbstverständlich noch niemanden zu einem zuverlässigen, authentischen Lehrer. Den Buddha, so erklärt Dignaga daher weiterhin, zeichne auch die wirklich gelebte Einsicht in die Leerheit aus sowie die Tatsache, dass er sämtliche Hindernisse vollständig überwunden hat.

Mitgefühl besteht, wie ich bereits sagte, grundsätzlich in dem Wunsch, dass die anderen Wesen frei sein mögen von Leid. Bei genauerer Betrachtung lassen sich hier zwei Stufen unterscheiden. Einerseits kann es sich um einen bloßen Wunsch handeln. Man wünscht sich einfach, dass die anderen Wesen von Leid frei sein mögen. Auf einer höheren Stufe jedoch beinhaltet dieses Gefühl noch eine zusätzliche Dimension – den Willen, tatsächlich etwas an dem Leid der anderen zu ändern. In diesem Fall kommt zum altruistischen Denken und Empfinden ein Gefühl der Verantwortung und persönlichen Verpflichtung hinzu.

Doch für die erste wie für die zweite Stufe des Mitgefühls gilt: Damit es gelingt, Bodhichitta zu entwickeln, muss das Mitgefühl durch einen weiteren Faktor ergänzt werden – durch Weisheit und Einsicht. Fehlt es Ihnen in dem Moment, in dem Sie mit dem Leid eines anderen konfrontiert werden, an Weisheit und Einsicht, so mag sich zwar spontan echtes Mitgefühl in Ihnen regen, aber Sie können kaum mehr tun, als den Wunsch zu äußern: «Möge er oder sie von jenem Schmerz oder Leid frei sein.»

Mit der Zeit erwächst daraus womöglich ein Gefühl der Hilflosigkeit, weil Ihnen klar wird, dass Sie praktisch nichts zur Änderung der Situation beitragen können. Verfügen Sie hingegen über Weisheit und Einsicht, so stehen Ihnen weit mehr Mittel zur Verfügung. Und je mehr Sie sich auf das

Objekt des Mitgefühls konzentrieren, umso intensiver und umfassender wird Ihr Mitgefühl werden.

Weil sich Einsicht und Weisheit in dieser Weise auf die Entwicklung des Mitgefühls auswirken, wird in der buddhistischen Literatur zwischen drei Arten von Mitgefühl unterschieden. Auf der ersten Stufe besteht Mitgefühl, wie gesagt, einfach nur in dem Wunsch, die anderen empfindenden Wesen von Leid befreit zu sehen. Es wird durch keine besondere Einsicht in die Natur des Leids oder in die Natur eines empfindenden Wesens verstärkt. Auf der zweiten Stufe besteht Mitgefühl nicht mehr nur in dem bloßen Wunsch, die anderen empfindenden Wesen von Leid befreit zu sehen. Es wird durch die Einsicht in die Vergänglichkeit des Daseins verstärkt; zum Beispiel durch die Einsicht, dass das Dasein des Wesens, dem Ihr Mitgefühl gilt, nicht von Dauer ist. Wird Ihr Mitgefühl durch Einsicht ergänzt, gewinnt es dadurch an Kraft. Auf der dritten Stufe schließlich wird das Mitgefühl als «nichtvergegenständlichendes Mitgefühl» bezeichnet. Es kann sich auf dasselbe leidende Wesen richten, bezieht jetzt aber seine Kraft aus der vollkommen klaren Einsicht in die letztendliche Natur jenes Wesens. Diese Art von Mitgefühl ist deshalb so kraftvoll, weil Sie sich auf den betreffenden Menschen einlassen können, ohne ihn oder sie zu vergegenständlichen – ohne an der Vorstellung zu haften, er oder sie verfüge über eine objektive Wirklichkeit.

Da Mitgefühl den Wunsch beinhaltet, dass die anderen von Leid frei sein sollten, erfordert es vor allem die Fähigkeit, sich mit anderen Wesen verbunden zu fühlen. Wie wir aus Erfahrung wissen, ist unser Einfühlungsvermögen in Bezug auf einen bestimmten Menschen oder ein Tier umso größer, je näher wir uns diesem Wesen fühlen. Bei dieser spirituellen Praxis, dem Entwickeln von Mitgefühl, ist demnach die Fähigkeit, sich in andere hineinzuversetzen, sich mit ihnen verbunden und ihnen nahe zu fühlen, ein wichtiges Element. Im Buddhismus bezeichnet man dies als ein Gefühl von inniger Vertrautheit mit dem Wesen, dem das Mitgefühl gilt. Man spricht auch von Herzensgüte. Je näher Sie sich jemand anderem fühlen, umso unerträglicher wird es für Sie sein, sein oder ihr Leid mit anzusehen.

Dieses Gefühl der Nähe oder innigen Vertrautheit wird vor allem mit Hilfe von zwei Methoden entwickelt. Die eine bezeichnet man als «uns selbst mit anderen gleichsetzen und austauschen». Zwar geht sie eigentlich auf Nagarjuna zurück, aber erst Shantideva hat in seinem «Eintritt in den Weg zum Erwachen» *(Bodhicharyavatara)* ihre Möglichkeiten vollständig ausgeschöpft. Das andere Verfahren nennt man die «Methode von Ursache und Wirkung in sieben Punkten». Bei ihr geht es darum, eine Einstellung zu entwickeln, mit deren Hilfe wir uns allen anderen Wesen gegenüber so verhalten können wie in Bezug auf jemanden, der uns lieb und teuer ist.

Dafür gibt es ein überkommenes Bild: Wir sollten alle empfindenden Wesen als unsere Mütter ansehen. In einigen Schriften heißt es allerdings auch, wir sollten die Wesen als unsere Väter betrachten, als liebe Freunde, als enge Verwandte, und so weiter. Die Mutter dient hier nur als Beispiel. Entscheidend ist, dass wir alle anderen Wesen als unsere Lieben anzusehen lernen, denen wir von Herzen verbunden sind.

Bei manchen Menschen führt offenbar die Methode von Ursache und Wirkung in sieben Punkten zu besseren Resultaten, bei anderen wiederum – abhängig von den persönlichen Neigungen und der Mentalität – diejenige, bei der wir uns selbst mit anderen gleichsetzen und austauschen. Allerdings war es innerhalb der tibetischen Überlieferung durchaus üblich, beide Methoden miteinander zu kombinieren, um aus der praktischen Umsetzung beider Ansätze Gewinn ziehen zu können. Den «Acht Strophen zur Umwandlung des Geistes» liegt zwar in erster Linie der Ansatz des Gleichsetzens und Austauschens von uns selbst und anderen zu Grunde, aber alle empfindenden Wesen werden als «unsere Mütter» bezeichnet. Dem lässt sich entnehmen, dass die Methode von Ursache und Wirkung in sieben Punkten ebenfalls in diesen Text mit eingeflossen ist.

Die Methode von Ursache und Wirkung in sieben Punkten

Bevor wir die Methode von Ursache und Wirkung in sieben Punkten (eine kurze Erläuterung der sieben Punkte finden Sie im Glossar auf S. 180) bei uns selbst anwenden können, müssen wir allen empfindenden Wesen gegenüber Gleichmut entwickeln. Dieser bekundet sich darin, dass wir allen anderen auf die gleiche Weise begegnen, uns ihnen gegenüber unvoreingenommen verhalten. Um dies zu ermöglichen, müssen wir uns mit dem Problem auseinander setzen, dass wir wechselhafte Gedanken und Emotionen haben. Wir sollten uns nicht nur um die Überwindung von extrem negativen Emotionen wie Wut und Hass bemühen, sondern bei dieser spirituellen Praxis auch versuchen, mit dem Anhaften zu arbeiten, das wir unseren Lieben gegenüber verspüren.

Gewiss, unserem Anhaften an jene, die uns lieb sind, wohnt ein Empfinden von Nähe und Vertrautheit inne, ferner ein Element von Liebe, Mitgefühl und Zuneigung. Doch sind diese Emotionen häufig von starkem Verlangen durchsetzt. Der Grund dafür liegt eigentlich auf der Hand: Im Umgang mit Menschen, an denen wir sehr hängen, sind wir für extreme Emotionen besonders anfällig. Handelt solch ein Mensch zum Beispiel im Gegensatz zu unseren Erwartungen, so liegt darin für uns ein weit höheres Verletzungspotenzial, als wenn jemand anderes, dem wir uns nicht so sehr verbunden fühlen, genau dasselbe tut.

Das macht deutlich, dass der Zuneigung, die wir empfinden, sehr viel Anhaftung innewohnt. Mit dieser besonderen spirituellen Praxis, der Sieben-Punkte-Methode, versuchen wir also, unser Anhaften an bestimmte Menschen in der Weise auszubalancieren, dass unser Empfinden von Nähe ihnen gegenüber echt ist und keine Spur von Verlangen aufweist.

Bei dieser vorbereitenden Übung in gleichmütiger Unvoreingenommenheit kommt somit alles darauf an, die parteiischen, Unterschiede hervorrufenden Empfindungen abzulegen, die wir anderen gegenüber gewöhnlich hegen. Sie beruhen auf unseren wechselhaften, Nähe und Distanz betreffenden Emotionen und Gedanken. Offenbar wird durch Anhaftung unser Blickfeld tatsächlich so weit eingeschränkt, dass wir nicht mehr in der Lage sind, die Dinge in einem größeren Rahmen wahrzunehmen.

Unlängst war ich bei einer Tagung zu Fragen von Wissenschaft und Religion in Argentinien zu Gast. Einer der teilnehmenden Wissenschaftler – Humberto Maturana, Mentor von Francisco Varela, einem Neurobiologen, den ich seit vielen Jahren kenne – gab dort einen aus meiner Sicht vollkommen berechtigten Hinweis. Für einen in der Forschung tätigen Naturwissenschaftler, so erklärte er, bestehe ein ganz wichtiger methodischer Grundsatz darin, nicht emotional am eigenen Forschungsgebiet zu haften. Denn Anhaftung habe die negative Auswirkung, den Blick zu trüben und zu verengen. Dieser Auffassung kann ich mich nur anschließen. Genau aus diesem Grund versuchen wir, diese parteiischen Empfindungen abzulegen, um mit allen Dingen unvoreingenommen umgehen und uns jedermann gegenüber unbefangen verhalten zu können.

Hinzufügen möchte ich, wie sehr ich in dieser Hinsicht die im Westen – jedenfalls im intellektuellen Bereich – vorherrschende Betonung der Objektivität schätze. Allerdings zeigt sich für mich an diesem Punkt auch ein deutlicher Widerspruch. Im Westen scheint nämlich die Anhaftung an den eigenen Beruf besonders verbreitet zu sein. Viele Menschen üben ihren Beruf mit außerordentlich großem persönlichem Einsatz aus. Sie identifizieren sich mit ihm und haben das Gefühl, er sei für das Wohl und Wehe der Gemeinschaft so wesentlich, dass die ganze Welt darunter zu leiden hätte, falls dabei etwas schief ginge. Das legt für mich den Schluss nahe, dass sie übermäßig daran haften.

Tibets großer Meister Tsongkhapa hat einmal gesagt, manche Menschen hätten die Neigung, sich *ein* Reiskorn herauszupicken und aus den daran gewonnenen Beobachtungen zu folgern, sämtliche anderen Körner im ganzen Universum seien ebenso beschaffen. In ähnlich extremer Weise halten offenbar auch manche Fachleute an ihrer eng begrenzten Sicht fest.

Manchmal können uns Visualisationen helfen, Unvoreingenommenheit zu entwickeln. Zum Beispiel können Sie sich vorstellen, drei verschiedene Menschen vor sich zu haben: einen, der Ihnen sehr nahe steht; einen, den Sie für Ihren Feind halten und nicht mögen; und schließlich einen, dem Sie mit neutralen Empfindungen, weder als Freund noch als Feind, begegnen. Lassen Sie dann Ihren natürlichen Emotionen und Gedanken im Hinblick auf diese drei Personen freien Lauf. Sobald Ihnen dies gelingt, werden Sie feststellen, dass Sie bei dem geliebten Menschen ein Gefühl von Nähe und auch von starker Anhaftung empfinden; bei der ungeliebten Person spüren Sie vielleicht Feindseligkeit und Distanz; und bei dem für Sie neutralen Menschen wird sich wahrscheinlich gar kein Gefühl regen.

Überdenken Sie an dieser Stelle folgende Fragen: «Warum habe ich diesen drei Menschen gegenüber so unterschiedliche Empfindungen? Warum hänge ich so sehr an den Menschen, die mir lieb sind?» Daraus wird unter Umständen für Sie ersichtlich, dass es für Ihr Anhaften bestimmte Gründe gibt: Dieser Mensch ist Ihnen lieb, weil er oder sie manches für Sie getan hat, und so weiter. Wenn Sie sich dann aber fragen, ob es sich dabei um dauerhafte Merkmale handelt, ob der oder die Betreffende mit anderen Worten immer so sein wird, müssen Sie sich wohl eingestehen, dass dies nicht unbedingt der Fall sein muss. Wer heute Ihr Freund ist, kann morgen zu Ihrem Feind werden. Dies trifft aus buddhistischer Sicht besonders dann zu, wenn es um zahlreiche Leben geht – jemand, der Ihnen in diesem Leben sehr nahe steht, kann in einem anderen Leben Ihr Feind gewesen sein. So gesehen, gibt es wirklich keinen Grund, solch starke Anhaftung zu empfinden.

Entsprechend schenken Sie anschließend der ungeliebten Person Ihre Aufmerksamkeit und fragen sich: «Aus welchen Gründen hege ich diesem Menschen gegenüber solch negative Empfindungen?» Auch hier verhält es sich womöglich so, dass er oder sie Ihnen bestimmte Dinge angetan hat. Aber fragen Sie sich doch, ob dieser Mensch wohl sein ganzes Leben lang Ihr Feind bleiben wird. Wenn Sie obendrein zahlreiche Leben in Betracht ziehen, wird Ihnen klar, dass der oder die Betreffende Ihnen in einem vorherigen Leben sehr nahe gestanden haben kann. Dieses Feindschaftsverhältnis ist demnach nur eine recht kurzlebige Angelegenheit. Allmählich sehen Sie ein, dass solch ausgeprägte Wut- und Hassgefühle diesem Menschen gegenüber ungerechtfertigt sind.

Betrachten Sie schließlich den Menschen in der Mitte, auf den Sie mit völlig neutralen Empfindungen reagieren. Wenn Sie sich bei ihm die gleichen Fragen stellen, wird Ihnen klar, dass der oder die Betreffende Ihnen vielleicht in diesem Leben wenig bedeutet, jedoch in früheren Leben sehr wichtig für Sie gewesen sein mag. Und auch in diesem Leben kann er oder sie in Zukunft irgendwann von Bedeutung für Sie sein. Diese Art von Visualisation vermag also dazu beizutragen, Ihre überaus wechselhaften Empfindungen anderen Menschen gegenüber ausgeglichener zu gestalten und eine stabile Grundlage zu schaffen, auf der sich eine ausgewogene Empfindung von Nähe aufbauen lässt.

Gyaltsap Rinpoche hat zur Verdeutlichung dieses Punktes ein sehr schönes Bild verwendet. Er vergleicht den unvoreingenommenen Gleichmut mit einer ebenmäßigen Anbaufläche. Nachdem Sie ein fruchtbares Feld gepflügt und die Erde planiert haben, bewässern Sie den Boden mit dem kostbaren Nass der Liebe und können dann den Samen des Mitgefühls aussäen. Durch regelmäßige weitere Nährstoffzufuhr kann der junge Bodhichitta-Spross, die altruistische Geisteshaltung, auf ganz natürliche Weise heranwachsen und gedeihen. Eine hübsche Metapher, wie ich finde.

Indem wir in diesem Sinn über unsere Emotionen nachdenken und sie aus unterschiedlichen Blickwinkeln hinterfragen, werden wir erkennen, dass jene ausgeprägten Emotionen, zu denen wir im Umgang mit anderen Menschen neigen, und das daraus hervorgehende Verhalten ziemlich töricht sind.

Im anderen Menschen einen unserer Lieben sehen

Wenn wir unvoreingenommenen Gleichmut entwickelt haben, können wir mit dem ersten Teil der Sieben-Punkte-Praxis beginnen und jene Geisteshaltung hervorbringen, auf Grund derer Sie von allen anderen Wesen denken, dass Sie Ihnen genauso lieb sind wie Ihre Mutter, Ihr Vater oder ein guter Freund. Hier greifen die Lehren natürlich auf die Vorstellung von den anfanglosen Lebensspannen zurück. Daher gehen sie davon aus, dass alle übrigen empfindenden Wesen zum einen oder anderen Zeitpunkt unsere Mütter, Väter oder gute Freunde gewesen sind. Dementsprechend versuchen wir uns den anderen gegenüber zu verhalten und auf diese Weise eine echte Verbundenheit zu entwickeln.

Diese Praxis wird traditionell deshalb für so wichtig erachtet, weil in der Natur hauptsächlich die Mütter für die Ernährung und das Heranziehen der Nachkommenschaft maßgebend sind. Bei manchen Tierarten bleiben Mutter und Vater zwar zusammen, um sich um ihre Jungen zu kümmern, aber in den meisten Fällen ist lediglich die Mutter dafür zuständig, wenngleich es selbstverständlich einige Ausnahmen gibt. Bei manchen Vogelarten zum Beispiel beteiligt sich die Mutter fast überhaupt nicht am Nestbau. Das Männchen arbeitet hart, um das Nest zu bauen, während das Weibchen lediglich zuschaut und das Ergebnis einer genauen Betrachtung unterzieht! Da scheint es dann nur recht und billig, dass das Männchen auch größere Verantwortung für das Aufziehen der Jungen übernimmt. Solche Fälle sind allerdings selten.

Schmetterlinge liefern ein weiteres interessantes Beispiel. Die Schmetterlingsmutter legt ihre Eier ab, und es besteht für sie keinerlei Möglichkeit, ihren Nachkommen jemals wieder zu begegnen, wenn sich aus den Eiern die Raupen entwickeln. Dessen ungeachtet vergewissert sie sich, dass sie die Eier in einem sehr sicheren Umfeld ablegt, wo die Nahrungsversorgung, ein natürlicher Schutz und dergleichen gewährleistet sind. Zwar können wir nicht sagen, solche Tiere hätten Mitgefühl in dem Sinn, wie wir es verstehen. Aber worum auch immer es sich hierbei handeln mag, um biologische Abläufe, chemische Prozesse oder Mitgefühl, Tatsache ist, dass die Mutter enorme Strecken zurücklegt, um für die Sicherheit und das Wohlergehen ihrer Jungen zu sorgen.

Aus solchen Gründen dienen in den überlieferten indischen und tibetischen Texten die Mütter als Musterbeispiel für unser Verhalten zu anderen Wesen. Tatsächlich hat das Tibetische einen speziellen Begriff für die «lieben, alten, empfindenden Mutterwesen» geprägt, und dieser Ausdruck ist in der Seele der Tibeter fest verankert. Spricht heutzutage jemand die Geschlechterfrage im Kontext der tibetischen Kultur an, so erkläre ich, dass die Vorstellung von «empfindenden Mutterwesen» und der entsprechende tibetische Begriff für mich sehr schön verdeutlichen, welche Wertschätzung der Mutterschaft innerhalb der buddhistischen Kultur zuteil wird. Der Ausdruck für die «lieben, alten, empfindenden Mutterwesen», *ma gen sem chen tam che*, hat einen stark poetischen und ziemlich gefühlvollen Klang. Versucht man hingegen, ein Äquivalent mit dem männlichen Pronomen zu formulieren, *pa gen sem chen tam che*, so hört sich das gar nicht gut an. «Lieber, alter Vater» hat im Tibetischen einen geringschätzigen Beiklang und lässt an jemanden denken, der sich ziemlich ungehörig und verantwortungslos verhält!

In der traditionellen Literatur bezieht sich der überaus

bedeutsame Umstand, dass man alle empfindenden Wesen gleichsam als die eigene Mutter betrachtet, ganz selbstverständlich auf die Vorstellung von der Aufeinanderfolge verschiedener Lebensspannen. Hier kommen also all die Fragen von Wiedergeburt und vergangenen Leben ins Spiel. Um verstehen zu können, weshalb Wiedergeburten möglich sind, muss man, so betonen die buddhistischen Lehren, die Natur des Bewusstseins verstehen.

Bewusstsein ist ein Phänomen, das nur von einem vorhergehenden Bewusstseinsmoment herrühren kann. Materie kann nicht zu Bewusstsein werden. Das ist, wie wir bereits gesehen haben, der Ausschlag gebende Punkt. Sofern es ganz allgemein um den Zusammenhang zwischen Geist und Materie geht, kann das eine zwar bei der Entstehung des anderen eine Rolle spielen. Bewusstsein im Sinn eines individuellen Kontinuums aber muss durch ein vorhergehendes Bewusstseinsmoment verursacht sein.

Heutzutage spricht jedermann über Bewusstsein, Geist, Gedanken, Emotionen und so weiter. Doch im Buddhismus wird Bewusstsein in einem ganz spezifischen Sinn definiert als «etwas, dessen Natur reine Lichtheit und bloßes Erkennen ist»: als die Fähigkeit des Erkennens und ursprünglichen Gewahrseins.

Derart allgemein über diese Dinge zu sprechen ist ja schön und gut. Meiner persönlichen Auffassung nach kann sich allerdings ein wirkliches Verständnis dessen, was wir Bewusstsein nennen, nur auf Grund von Erfahrung einstellen. Ich glaube nicht, dass sich die Bedeutung von Bewusstsein allein durch intellektuelle Erörterungen oder wortreiche Beschreibungen vermitteln lässt. Aus meiner Sicht ist ein aus Erfahrung erwachsendes Verständnis von Bewusstsein oder Geist von unschätzbarem Wert.

In der tibetischen Überlieferung verfügen wir über verschiedene Techniken, die uns zu einem erfahrungsbezogenen Verständnis dessen verhelfen, was wir als Bewusstsein oder Gewahrsein bezeichnen. Die Dzogchen-Überlieferung zum

Beispiel kennt eine Praxis zur Wahrnehmung des Geistes, bei der man von einer Empfindung des Erstaunens ausgeht, dann seine Gedanken emporkommen lässt und in diesem neutralen Zustand auf die Geistesaktivität achtet. In ähnlicher Weise nimmt man in der Sakya-Überlieferung der «Vereinigung von Tiefe und Klarheit» die Natur des Geistes wahr, indem man den Geist in seinem natürlichen, ungekünstelten Zustand ruhen lässt und dann seine Aktivität beobachtet. Entsprechend praktiziert man in der Gelug- und in der Kagyü-Überlieferung Mahamudra (das große Siegel), um die Bedeutung von «Geist» zu verstehen.

Wenn Sie zu einem auf Erfahrung beruhenden Verständnis der Bedeutung von «Gewahrsein» gelangen, indem Sie sich solch einer Praxis widmen, und wenn Sie dann zu begreifen versuchen, was das anfanglose Bewusstseinskontinuum ist, so macht das für Sie persönlich Sinn. Andernfalls aber kann die bloße Feststellung, dass jedem Gewahrseinsmoment ein anderer Gewahrseinsmoment vorhergehen muss, nicht sonderlich überzeugend für Sie sein. Es bedarf der eigenen Erfahrung, um die Bedeutung dieser Aussage zu erfassen.

Die Besinnung auf die Güte sämtlicher Wesen

Zweiter Bestandteil der Methode von Ursache und Wirkung in sieben Punkten ist die Besinnung auf die Güte sämtlicher Wesen. Sie konzentrieren sich in Ihrer Meditation auf die Güte sämtlicher Wesen, insbesondere vor dem Hintergrund, dass sie in diesem oder in anderen Leben Ihre Mütter gewesen sind. Das bringt Sie ganz von selbst zu dem Gedanken: «Ich muss ihnen ihre Güte erwidern. Für die große Güte, die sie mir erwiesen haben, muss ich mich erkenntlich zeigen.» Bei einem rechtschaffenen, verantwortungsbewussten, als «zivilisiert» zu bezeichnenden Menschen ist es nur natürlich, dass sich solche Empfindungen regen.

Sobald Sie in allen anderen Wesen Ihre gütige, geliebte Mutter erkennen, werden Sie sich ihnen auf ganz natürliche Weise verbunden fühlen. Auf dieser Grundlage sollten Sie Liebe beziehungsweise Herzensgüte entwickeln, die traditionell als der Wunsch definiert wird, die anderen glücklich zu sehen; ferner Mitgefühl, den Wunsch, dass die anderen von Leid frei sein mögen. Liebe und Mitgefühl sind die beiden Seiten derselben Medaille.

Uns selbst mit anderen gleichsetzen und austauschen

Wir befassen uns jetzt mit der zweiten Methode zur Umwandlung des Geistes, bei der wir uns selbst mit anderen gleichsetzen und austauschen. Auch hier geht es im ersten Schritt darum, Gleichmut zu entwickeln. Allerdings hat Gleichmut in diesem Zusammenhang eine andere Bedeutung. Darunter ist hier die grundlegende Gleichheit sämtlicher Wesen zu verstehen – und zwar in dem Sinn, dass sich ganz genauso, wie Sie den spontanen Wunsch haben, glücklich zu sein und das Leid zu überwinden, auch jedes einzelne andere Wesen dies wünscht.

Wir wollen nun genauer zu erfassen versuchen, worin das Streben nach Befreiung von Leid eigentlich besteht. Es beruht nicht etwa auf Selbstüberschätzung oder Selbstgefälligkeit; solche Gedankengänge spielen hier keine Rolle. Dieses Grundstreben ergibt sich einfach aus dem Umstand, dass wir bewusste Lebewesen sind. Mit ihm geht die innere Gewissheit einher, dass ich als Individuum ein legitimes Recht habe, mein Verlangen zu verwirklichen. Wenn wir das akzeptieren, können wir dasselbe Prinzip auch für andere gelten lassen; und uns wird klar, dass jeder andere dasselbe Grundstreben hat wie wir. Falls ich also als Individuum das Recht habe, mein Verlangen zu verwirklichen, trifft das auf alle anderen ebenso zu. Vor diesem Hintergrund muss man die fundamentale Gleichberechtigung aller Wesen anerkennen.

Innerhalb der Praxis des Gleichsetzens und Austauschens von uns selbst und anderen ist dies die Gleichsetzungsstufe. Hier gelangen wir zu dem Verständnis, dass wir und die anderen fundamental gleich sind. Auf der nächsten Stufe besinnen wir uns auf die Nachteile und negativen Auswirkungen eines allzu selbstverliebten Denkens sowie auf die Vorzüge einer Geisteshaltung, bei der wir uns um das Wohl der anderen Gedanken machen.

Wie gehen wir dabei vor? Zunächst vergleichen wir uns mit den anderen. Wir haben akzeptiert, dass wir und andere im Hinblick auf das Streben nach Glück und die Überwindung von Leid grundlegend gleich sind. Darüber hinaus haben wir erkannt, dass sämtliche Wesen, wir selbst inbegriffen, das gleiche Recht haben, dieses Bestreben zu verwirklichen. Gleichgültig, wie wichtig ein einzelner Mensch auch sein mag oder wie unwichtig – nach weltlichen Maßstäben – andere sein mögen: Soweit es um die Grundtatsache des Wunsches nach Verwirklichung von Glück und Überwindung von Leid geht, besteht absolute Gleichheit.

Worin unterscheiden wir uns dann aber? Es handelt sich hier um eine quantitative Differenz. Völlig unabhängig von der Wichtigkeit eines Individuums ist sein eigenes Interesse lediglich das eines einzigen Wesens. Das Interesse der anderen hingegen ist das einer unermesslich großen Zahl.

Da stellt sich dann die Frage: Was ist wichtiger? Wollen wir fair sein, so müssen wir rein vom numerischen Standpunkt aus akzeptieren, dass das Interesse der anderen schwerer wiegt als unser Eigeninteresse. Auch in den uns vertrauten weltlichen Belangen verhält es sich ja so, dass im Allgemeinen jenen Angelegenheiten, die das Leben vieler Menschen betreffen, größere Bedeutung beigemessen wird als den Dingen, die nur eine geringere Zahl von Menschen oder gar nur einen Einzelnen angehen.

Logischerweise muss man also akzeptieren, dass das Wohl

der anderen bedeutsamer ist als das eigene. Ganz rational oder objektiv könnte man sagen, einer Einzelperson zuliebe das Interesse der vielen anderen zu opfern sei unvernünftig, ja töricht. Eher zu vertreten sei dagegen, das Interesse einer Einzelperson dem Wohl einer unermesslich großen Zahl anderer Menschen zu opfern, falls solch eine Entscheidung notwendig sein sollte.

Jetzt denken Sie vielleicht, das klingt ja alles ganz schön, aber am Ende sind Sie immer noch «Sie», und die anderen sind «andere». Wären «ich» und «andere» total unabhängig voneinander und bestünde keinerlei Verbindung zwischen beidem, dann könnte es eventuell Gründe dafür geben, das Wohl der anderen außer Acht zu lassen und einfach nur im Eigeninteresse zu handeln. Doch dies ist nicht der Fall. Denn ich und andere sind in Wirklichkeit keineswegs unabhängig voneinander, sondern zwischen den jeweiligen Interessen besteht eine Verflechtung.

Aus buddhistischer Sicht ist Ihr Leben, auch wenn Sie nicht erleuchtet sind, so sehr mit dem Leben jedes anderen verflochten, dass Sie sich wahrhaftig nicht für ein isoliertes Einzelwesen halten dürfen. Folgen Sie darüber hinaus einem spirituellen Weg, so hängt dessen Verwirklichung in vielerlei Hinsicht von den wechselseitigen Beziehungen zu anderen ab, sind Letztere unentbehrlich. Selbst wenn man die höchste Erleuchtungsstufe erreicht hat, dienen die erleuchteten Aktivitäten dem Wohl der anderen. Die erleuchtete Aktivität manifestiert sich spontan – einfach, weil andere Wesen existieren. Auf dieser Stufe sind die anderen somit abermals unentbehrlich. Ihr Leben und das Leben aller anderen stehen so sehr in einem wechselseitigen Bedingungsverhältnis, dass die Vorstellung eines von allen anderen vollkommen verschiedenen und unabhängigen Ich wahrhaftig keinen Sinn macht.

So verhält es sich in Wirklichkeit. Doch in unserem Verhalten spiegelt sich das keineswegs wider. Ungeachtet dieser Realität haben wir bis jetzt einen ganzen Komplex von selbstverliebten Gedanken gehegt und gepflegt. Wir glauben an etwas, das uns sehr lieb geworden ist; und wir halten es für kostbar, gleichsam für den Kernbestand unseres Daseins. Ein starker Glaube an eine individuelle Existenz, der wir ein unabhängiges Eigendasein zusprechen, geht damit Hand in Hand. Der Glaube an ein ganz real vorhandenes Ich und die Wahrnehmung unseres Eigeninteresses auf Kosten der anderen sind die beiden vorherrschenden Gedanken und Emotionen, die wir im Verlauf vieler Leben in uns genährt haben. Mit welchem Resultat? Welchen Nutzen haben wir davon? Unentwegt leiden wir, dauernd haben wir negative Gedanken und Emotionen. Unsere Verliebtheit in uns selbst hat uns also wirklich nicht sehr weit gebracht.

Von uns einmal ganz abgesehen: Auch wenn wir auf andere Menschen und die Welt um uns herum blicken und unser Augenmerk auf all die Krisen richten, auf all die Schwierigkeiten, auf all das Leid, so erkennen wir, dass viele dieser Probleme direkt oder indirekt die Auswirkungen von unkontrollierten negativen Geisteszuständen sind. Und worauf beruhen diese? Auf jener machtvollen Kombination aus Selbstbezogenheit und dem Glauben an eine unabhängige Existenz. Eine derartige Verlagerung unseres Augenmerks auf die uns umgebende Welt macht es möglich, dass wir die ungeheuer destruktiven Auswirkungen dieses Denkens in ersten Ansätzen erfassen.

Nicht einmal aus dem Blickwinkel der eigenen Selbstbezogenheit sind diese Einstellungen hilfreich. Wir könnten uns fragen: «Welchen Nutzen habe ich als Individuum von meiner Selbstbezogenheit und von meiner Überzeugung, als unabhängiges Ich zu existieren?» Wenn Sie wirklich gründlich darüber nachdenken, wird Ihnen klar, dass die Antwort lautet: «Keinen sehr großen.»

Tatsächlich sind diese Überzeugungen auch für das Individuum selbst eine Quelle von Leid und Elend. Die buddhistische Literatur enthält eine Fülle von Überlegungen dazu. Vor ungefähr zwei Jahren war ich in den USA bei einem medizinischen Kongress zu Gast, und einer der Teilnehmer, ein Psychologe, stellte die Ergebnisse einer eigenen Langzeitstudie vor. Eine Schlussfolgerung daraus hielt er für nahezu unanfechtbar. Ihr zufolge besteht eine Wechselbeziehung, eine statistisch nachweisbare Korrelation, zwischen frühzeitigem Tod, hohem Blutdruck und Herzerkrankungen auf der einen sowie einer überproportional gehäuften Verwendung von Personalpronomina der ersten Person («ich», «mich» und «mein») auf der anderen Seite.

Dieses Ergebnis fand ich ausgesprochen interessant. Sogar wissenschaftliche Studien lassen offenbar auf einen Zusammenhang zwischen überzogener Wertschätzung der eigenen Person und der Beeinträchtigung des körperlichen Befindens schließen. Übrigens hat sich heutzutage im Tibetischen der Ausdruck *nga rinpoche* eingebürgert, was so viel bedeutet wie «ich, der Kostbare».

Wenn Sie nun im Unterschied dazu weniger sich selbst als vielmehr den anderen Ihre Aufmerksamkeit widmen und sich um ihr Wohl kümmern, so werden Sie als unmittelbare Folge davon ein Leben in größerer Offenheit führen, und es wird Ihnen leichter fallen, anderen die Hand entgegenzustrecken. Mit anderen Worten, die Praxis zur Entwicklung einer altruistischen Geisteshaltung hat nicht nur aus religiöser Sicht, sondern auch aus dem weltlichen Blickwinkel heilsame Auswirkungen; und zwar nicht nur in Bezug auf eine langfristige spirituelle Entwicklung, sie macht sich auch für den Augenblick bezahlt. Zum Beispiel werde ich, wie ich Ihnen aus persönlicher Erfahrung berichten kann, gleich ruhiger und unbeschwerter, wenn ich mich in Altruismus übe und um andere kümmere. Altruismus kommt uns also ganz unmittelbar zugute.

Dasselbe gilt, wenn Sie die Einsicht entwickeln, dass das Ich nichts wirklich unabhängig Existierendes ist, und stattdessen zu begreifen beginnen, in welcher Weise das Ich durch andere bedingt ist. Zwar ließe sich schwerlich behaupten, die bloße Besinnung darauf werde zu einer tief greifenden spirituellen Verwirklichung führen. Aber eine gewisse Wirkung hat sie schon. Ihr Geist wird sich öffnen. Etwas in Ihnen wird sich zu verändern beginnen. Die Umkehrung dieser beiden Haltungen – anstelle der Selbstbezogenheit ein altruistischer Bezug zu anderen; statt an das Eigendasein an das bedingte Entstehen glauben – hat daher selbst kurzfristig eine positive und heilsame Wirkung.

Zusammenfassend kann ich sagen, dass ich mit Shantideva übereinstimme, wenn er schreibt:

Wozu viele Worte?
Schaut euch doch den Unterschied an zwischen
den Törichten, die auf ihren eigenen Nutzen hinwirken,
und den Buddhas, die zum Nutzen der anderen wirken.

Wenn ich mein Glück nicht
gegen das Leid der anderen tausche,
werde ich den Zustand der Buddhaschaft nicht erreichen
und selbst in Samsara keine wirkliche Freude haben.

An sich selbst zu denken
ist die Quelle allen Elends auf der Welt,
an andere zu denken
ist die Quelle allen Glücks.

FRAGEN AN DEN DALAI LAMA

Frage: Wenn Weisheit und Mitgefühl die natürlichen Merkmale oder Eigenschaften des erleuchteten Geistes sind, warum müssen wir dann so hart daran arbeiten, sie zu entwickeln?
Dalai Lama: Lassen Sie uns zur Verdeutlichung ein einfaches Beispiel nehmen, ein Samenkorn etwa. Wir alle wissen, dass

dem Samen das Potenzial innewohnt, zur Pflanze heranzu-
reifen, solange wir ihm den richtigen Nährboden, Dünger
und Feuchtigkeit zur Verfügung stellen, die richtige Tem-
peratur gewährleisten, und so weiter. Niemand von uns bestreitet, dass dem Samen dieses Potenzial innewohnt. Dennoch ist ein komplizierter Ablauf damit verbunden; und um
sicherzustellen, dass der Samen zur vollständig entwickelten
Pflanze heranwächst, müssen wir ihm viel Pflege angedeihen
lassen. Genauso verhält es sich bei uns. Außerdem hinterlassen
die negativen Aspekte des Geistes tief gehende Prägungen.
Das ist ein weiterer Grund.

Frage: Wie können wir zwischen Selbstlosigkeit und Passivität
unterscheiden?
Dalai Lama: Wenn wir über Altruismus und das Wohl der
anderen sprechen, dürfen wir nicht der Vorstellung auf den
Leim gehen, dass wir unser Eigeninteresse außer Acht lassen,
uns selbst vernachlässigen oder zu einer Art passiver Null-
nummer werden sollen. Das zu begreifen halte ich für wichtig, alles andere wäre ein arges Missverständnis. Die Art von
Altruismus, die sich auf das Wohl der anderen konzentriert,
entwickelt sich auf Grund von großem Mut, einer sehr offenen Einstellung und starkem Selbstbewusstsein – und das in
solchem Maße, dass der oder die Betreffende jene Selbstbezogenheit, jene Selbstverliebtheit, die tendenziell unser Leben bestimmen, in Frage zu stellen vermag. Um dazu in der
Lage zu sein, benötigen wir ein starkes Selbstbewusstsein und
echten Mut, weil diese Tendenzen offenbar so fest in uns
verankert sind.

Daher erkläre ich den Menschen gewöhnlich, dass jemand,
der dieses altruistische Ideal verkörpert, ein Bodhisattva, pa-
radoxerweise ein Mensch mit sehr starkem Selbstbewusstsein
sein muss. Denn ansonsten kann er oder sie nicht die not-
wendige Hingabe und den erforderlichen Mut aufbringen.
Sie sollten also keineswegs meinen, bei der altruistischen
Geisteshaltung, von der wir sprechen, handle es sich lediglich

um einen passiven Zustand, in dem man sich mit frommen Wünschen begnügt.

Frage: Eure Heiligkeit, Sie haben die Beherrschung der Emotionen angesprochen. Damit kann im Westen bisweilen eine Verdrängung oder Unterdrückung von Gefühlen gemeint sein. Wie lässt sich ganz zwanglos an diese Praxis herangehen?

Dalai Lama: Gewiss, es ist schon wahr, dass Unterdrückung negativ und destruktiv sein kann, besonders wenn das Gefühl von Groll oder Hass mit einer schmerzlichen Erfahrung aus der Vergangenheit zusammenhängt. Unter solchen Umständen kann es befreiend sein, Emotionen zum Ausdruck zu bringen. In Tibet sagt man: «Wenn ein Schneckengehäuse* blockiert ist, kann man hineinblasen, und die Sache ist bereinigt. Nach buddhistischem Verständnis sollte man bestimmte Emotionen, die sich auf vergangene Erfahrungen mit schmerzlichem Charakter beziehen, besser zum Ausdruck bringen.

Doch im Allgemeinen scheint es, zumindest aus buddhistischer Sicht, im Wesen von negativen Emotionen wie Wut und Hass zu liegen, dass sie umso mächtiger werden, je häufiger man sie überhand nehmen lässt. Wenn Sie ihre Destruktivität einfach nicht zur Kenntnis nehmen, sich so dazu verhalten, als handle es sich dabei um ganz natürliche seelische Regungen, die einfach kommen und gehen, und das Ganze seinen Lauf nehmen lassen, dann kann Sie das immer anfälliger für emotionale Ausbrüche machen. Sind Sie sich hingegen über ihr destruktives Potenzial voll und ganz im Klaren, so kann sich allein schon diese Erkenntnis dahingehend auswirken, dass Sie zu diesen Emotionen auf Abstand gehen. Allmählich wird ihre Macht dann schwinden.

---

* Das Gehäuse der Meeresschnecke dient im tibetischen Buddhismus als rituelles Blasinstrument.

Frage: Warum sind positive Gedanken und Emotionen den negativen gegenüber zu bevorzugen, und warum müssen sie gefördert werden? Sind sie nicht in gleicher Weise vergänglich und ohne Eigendasein?

Dalai Lama: Positive Gedanken und Emotionen sind den negativen aus folgendem Grund vorzuziehen: Wenn auch beide in gleicher Weise vergänglich und ohne Eigendasein sind, bleibt dennoch die Tatsache bestehen, dass negative Gedanken und Emotionen Leid und schmerzliche Erfahrungen mit sich bringen, die positiven hingegen Glück bewirken. Und wir alle wollen glücklich sein. Beide, Glück wie Leid, sind ständig in Veränderung begriffen. Gemäß dieser Logik bräuchte man sich also überhaupt nicht zu bemühen, glücklich zu sein, und keinerlei Anstrengung zu unternehmen, sich von Leid zu befreien. Wenn sich beides ohnehin von Augenblick zu Augenblick verändert, könnten wir es uns ja einfach gemütlich machen und abwarten, bis die Veränderung eingetreten ist. Ich glaube allerdings nicht, dass dies der richtige Weg ist. Wir sollten bewusst versuchen, alles zu fördern, was uns Glück bringt – und alles, was Leid verursacht, sollten wir bewusst zu überwinden trachten.

Frage: Auf dem spirituellen Weg versuchen wir die Selbstverliebtheit abzulegen. Aber viele Menschen im Westen lieben sich selbst gar nicht – bis zu dem Punkt, an dem sie chronische Depressionen an den Tag legen und Selbstmord verüben. Wie können wir mit diesen Dingen umgehen?

Dalai Lama: Nach meinem Verständnis beinhaltet diese ganze Vorstellung von Selbsthass nicht, dass der oder die Betreffende sich nicht liebt. Ich glaube, in Wahrheit wurzelt dieser Selbsthass in zu großer Selbstverliebtheit oder zu großem Anhaften an der eigenen Person. Der betreffende Mensch richtet so hohe Erwartungen an sich selbst, dass in dem Moment, in dem er den eigenen Erwartungen nicht gerecht wird, sehr große Frustration aufkommt. Dadurch wird dann eine negative Dynamik in Gang gesetzt.

Meines Erachtens ist es sehr wichtig, nicht misszuverstehen, was in den buddhistischen Lehren mit der Überwindung unserer selbstverliebten Einstellungen gemeint ist. Wir sagen nicht, ein Mensch auf dem spirituellen Weg solle das Streben nach persönlicher Erfüllung vollkommen außer Acht lassen oder aufgeben. Vielmehr empfehlen wir ihm oder ihr, jene engstirnige Selbstbezogenheit zu überwinden, durch die wir das Wohl der anderen und den Einfluss, den unsere Handlungen auf sie haben können, aus den Augen verlieren. Diese Art von Selbstbezogenheit wird hier angesprochen und nicht das Bemühen um die Verwirklichung substanzieller Interessen.

Bodhichitta wird ja, wie Sie sich vielleicht erinnern, als das altruistische Streben nach vollkommener Erleuchtung zum Wohl aller empfindenden Wesen definiert. Damit wird also eingeräumt, dass die Verwirklichung der vollkommenen Erleuchtung aus zwei Gründen notwendig ist: nicht nur, um den anderen Wesen von Nutzen sein zu können, sondern auch, um unsere eigene Natur zu vervollkommnen. Darauf basiert dieses Ideal. Wir erkennen also an, dass es notwendig ist, unser wahres Eigeninteresse zu verwirklichen. Das ist die Bedeutung von Bodhichitta.

Würden uns die buddhistischen Lehren über den Altruismus tatsächlich nahe legen, unser Eigeninteresse außer Acht zu lassen und uns völlig frei davon zu machen, so hieße das in der logischen Konsequenz, dass wir ebenso wenig auf das Wohl der anderen hinwirken sollten; denn indem Sie anderen helfen, kommt das ja nach buddhistischer Auffassung als Nebeneffekt auch Ihnen selbst zugute. Diese Position würde also bedeuten, dass wir weder am Wohl der anderen noch an unserem eigenen arbeiten sollen.

Außerdem stoßen wir bei einem Blick in die klassischen buddhistischen Schriften über Bodhichitta zum Beispiel auf Maitreyas Feststellung in «Sublimes Kontinuum» *(Ratnagotravibhaga)*, dass sämtliche empfindenden Wesen einander hinsichtlich der ihnen innewohnenden Buddha-Natur vollkommen gleichen. Den Samen für die Güte und für das Mitgefühl eines Buddha allen Lebewesen gegenüber trägt mit anderen Worten jeder von uns in sich. Das Potenzial für die Erleuchtung, die Vollendung ist also in jedem von uns vorhanden. Dieser Aspekt der Lehre soll den Praktizierenden Mut machen und ihre Entschlossenheit stärken. Würden sie über diese Eigenschaften nicht verfügen, wäre es ziemlich zwecklos, sich der Kontemplation über die fundamentale Gleichheit sämtlicher Wesen zu widmen.

Frage: Manchmal geht die Wut, die ich empfinde, auf Angst zurück. Wenn ich wütend werde, fühle ich mich stärker und habe dann keine Angst mehr. Wie soll ich damit umgehen?
Dalai Lama: Nur zu wahr. Wir alle machen diese Erfahrung. Man verspürt einen gewissen Mut, eine gewisse Stärke, wenn man wütend ist. Tatsächlich handelt es sich dabei aber um eine blinde Kraft. Die Energie von Wut ist entweder relativ wenig konstruktiv oder schlicht destruktiv: Es ist ungewiss, welche Richtung sie einschlagen wird. Extreme Wut könnte Sie schließlich gar dahin bringen, sich das Leben zu nehmen, und das wäre sehr töricht. Sie ist also eine blinde Energie.

Sobald Ihnen die schädliche Wirkung der Wut klar bewusst ist, sollten Sie versuchen, Ihre Wut mehr aus diesem Blickwinkel zu betrachten. Ferner spielt es eine Rolle, worauf Ihre Wut sich richtet. Wendet sie sich zum Beispiel gegen eine bestimmte Person, könnten Sie an die positiven Eigenschaften dieser Person denken. Dies würde vielleicht helfen, Ihre Wut zu verringern. Falls Ihre Wut hingegen von einem schmerzlichen Erlebnis herrührt oder mit einer Katastrophe in Zusammenhang steht, so lassen sich natürlich einige Gründe dafür geltend machen. Bei eingehendem Nachdenken werden Sie allerdings feststellen, dass es Ihnen selbst dann keinen wirklichen Vorteil verschafft, wenn Sie wütend werden.

Frage: Eure Heiligkeit, Ihre Ansichten zu der tragischen Situation im Kosovo zu lesen war hilfreich und ermutigend. Könnten Sie uns vielleicht erläutern, wie Sie zu folgender Frage stehen: Lässt sich Gewaltanwendung – im Fall eines einzelnen Menschen als Mittel der Selbstverteidigung oder auf nationaler Ebene im Kontext eines Verteidigungskrieges – nach Ihrem Empfinden *überhaupt* rechtfertigen?

Dalai Lama: Theoretisch handelt es sich bei Gewalt und Gewaltlosigkeit um Methoden. Um über die Angemessenheit oder Unangemessenheit eines bestimmten Vorgehens entscheiden zu können, sind die Motivation und die Zielsetzungen wichtiger als die Methode. Bestünde die aufrichtige Absicht, ein berechtigtes Ziel zu erreichen, könnte Gewalt unter speziellen Voraussetzungen zulässig sein. Doch in der Praxis besteht eins der Hauptmerkmale von Gewalt meines Erachtens in ihrer Unberechenbarkeit: Greift man zu Gewalt, so können viele Komplikationen oder ursprünglich nicht vorhergesehene Umstände auftreten. Auf diese Weise erhalten wir Gewalt und Gegengewalt ohne Ende mit schrecklich viel Schmerz und Leid. Genau das ist wohl im Kosovo geschehen. Deshalb sollte man meiner Meinung nach Gewalt besser vermeiden.

Auf einer grundlegenderen Ebene kommt es, wenn man eine Grenze zwischen Gewalt und Gewaltlosigkeit ziehen will, meiner Ansicht nach entscheidend auf die Motivation an. Von echtem Mitgefühl motiviert, sind einige barsche Worte oder eine gewisse Raubeinigkeit im Grunde genommen gewaltlos. Mit einer negativen Motivation hingegen – etwa mit dem Wunsch, jemanden zu betrügen, zu hintergehen oder auszubeuten – sind auch scheinbar freundliche Worte oder Handlungen eigentlich gewalttätig. Die Motivation ist der Ausschlag gebende Faktor. In diesem Sinn ist mit «Gewalt» jede von Hass motivierte Handlung gemeint.

Darin besteht also der theoretische Unterschied zwischen Gewalt und Gewaltlosigkeit. Wenn jemand Sie angreift und Ihr Leben bedroht, müssen Sie die Handlungen des oder der

Betreffenden entsprechend beurteilen. Nehmen wir zum Beispiel an, jemand wolle Sie in diesem Augenblick körperlich verletzen: Sie sollten sich dann nicht nur dagegen zur Wehr setzen, sondern auch versuchen, den Angreifer zu einem der eigenen Aggression zuwiderlaufenden Handeln zu veranlassen. Sie müssen die Situation abwägen. Wenn gegen solch eine Bedrohung mit Gegenmaßnahmen voraussichtlich nichts auszurichten ist, müssen Sie andere Möglichkeiten, mit dem Problem umzugehen, finden. Sehen Sie sich allerdings mit einer lebensbedrohlichen Situation konfrontiert, sollten Sie möglichst schnell das Weite suchen! Wenn man Sie jedoch derart in die Enge getrieben hat, dass Ihnen schlicht und einfach kein anderer Ausweg bleibt, und sich zufälligerweise eine Waffe in Reichweite befindet, so versuchen Sie in der Weise auf eine Körperpartie zu zielen, dass die betreffende Person keinen dauerhaften Schaden davonträgt und Sie sich zugleich aus Ihrer Lage befreien können.

Allerdings sind solche Situationen, wie auch immer die Umstände beschaffen sein mögen, stets schwierig. Eines aber steht dabei in unserer Macht: Unabhängig davon, wie wir uns zur Wehr setzen, sollten wir nicht zulassen, dass unsere Motivation auch nur im Mindesten von Hass gegen die betreffende Person durchsetzt ist. Wir sollten ganz bewusst versuchen, aus aufrichtig empfundener Fürsorge oder Sympathie zu handeln.

Frage: Wenn alles auf Ursache und Wirkung zurückgeht, worauf beruht dann die Willensfreiheit?
Dalai Lama: Wenn wir über Ursache und Wirkung sprechen, ist natürlich von einem universellen, für alle möglichen – belebte oder unbelebte – Dinge und Geschehnisse gültigen Prinzip die Rede. Innerhalb dieses übergreifenden Zusammenhangs findet sich dann auch eine die Lebewesen betreffende Kausalitätsebene. Zum Beispiel führt der Mensch manche Handlungen bewusst aus, also mit einer bestimmten Absicht oder Motivation. Diese Handlungen unterliegen

dem so genannten karmischen Gesetz von Ursache und Wirkung. Das karmische Gesetz ist ein Sonderfall des allgemeinen Gesetzes von Ursache und Wirkung; und zwar gilt es speziell für bewusste Handlungen, für Handlungen, die ein bewusst agierendes Subjekt ausführt. Die Motivation der betreffenden Person ist also integraler Bestandteil des Kausalprozesses. Allein dem lässt sich schon entnehmen, dass der oder die Betreffende aktiv eine ganz entscheidende Rolle für den weiteren Verlauf der Situation spielt.

Wir sprachen darüber, dass wir häufig von starken negativen Emotionen und Gedanken beherrscht werden. Insoweit sind wir also unfrei. Das soll jedoch nicht heißen, das Individuum habe an der Festlegung der eigenen Zielsetzungen keinen Anteil. In dieser aktiven Rolle manifestiert sich sein freier Wille.

Noch in einem weiteren Bereich ist der freie Wille von Bedeutung. Jemand kann zum Beispiel eine karmisch bedeutsame Handlung begangen und den Samen für ein bestimmtes Resultat gelegt haben. Die erste Ursache allein genügt freilich noch nicht, um das entsprechende Resultat wirklich voll und ganz herbeizuführen. Weitere Bedingungen müssen hinzukommen, um dieses Potenzial zu aktivieren. Jeder Mensch steht vor einer Entscheidung: Er kann dafür sorgen, dass diese Bedingungen gar nicht erst entstehen.

Frage: Viele Dinge verdienen es, in Angriff genommen zu werden. Wie kann man wissen, womit man sich auseinander setzen soll?
Dalai Lama: Das müssen *Sie* entscheiden. Darüber müssen Sie sich Gedanken machen. Dazu kann ich im Grunde nichts sagen. Natürlich muss man die eigenen Fähigkeiten berücksichtigen und sehen, was man bewältigen kann.

Frage: Zahllose Bardo-Wesen stehen bereit, sich in einer kostbaren menschlichen Existenz zu verkörpern. Zugleich aber ist die Erde übervölkert. Was wäre für mich als praktizierende

Laien-Buddhistin die angemessene Motivation, wenn ich mich mit dem Gedanken trüge, ein Kind zu haben?

Dalai Lama: Nun, das hängt wirklich sehr stark von Ihnen ab. Wenn Sie tatsächlich ein Kind haben wollen, müssen Sie natürlich schwanger werden und sich um es kümmern. Sie müssen auf das Kind aufpassen und dafür Sorge tragen, dass es gut gedeiht. Falls Ihnen das jedoch zu viel ist und Sie keine Kinder wollen, brauchen Sie keine zu bekommen!

3

Wandlung durch Einsicht

Einsicht in die Natur des Leids

Neben den Methoden zur Entwicklung unserer Verbundenheit mit den anderen gibt es noch einen weiteren wichtigen
Faktor, um Mitgefühl zu kultivieren: vertiefte Einsicht in die
Natur des Leids. Der tibetischen Überlieferung zufolge hat
eine Kontemplation über das Leid eine besonders große Wirkung, wenn sie auf persönlicher Erfahrung beruht und von
einem selbst ausgeht. Denn im Allgemeinen fühlen wir uns
eher vom eigenen Leid betroffen als von dem der anderen.
Mitgefühl und Entsagung, die beiden Grundelemente des
buddhistischen Weges, werden daher als zwei Seiten derselben
Medaille betrachtet: Echte Entsagung stellt sich ein, sobald
wir, auf uns selbst bezogen, zu wirklicher Einsicht in die
Natur des Leids gelangen; und echtes Mitgefühl stellt sich ein,
sobald wir unser Augenmerk auf andere richten. Mitgefühl
und Entsagung unterscheiden sich also lediglich durch die
jeweils andere Blickrichtung.

Auf die Unterscheidung zwischen den drei Ebenen von
Leid in den buddhistischen Lehren – zwischen dem Leid des
Leidens, dem Leid der Veränderung und dem Leid der allgegenwärtigen Bedingtheit – sind wir an anderer Stelle kurz
zu sprechen gekommen. Im Kontext von Mitgefühl und Entsagung ist, wie bereits erwähnt, von der dritten dieser Ebenen
die Rede.

Soweit es um die erste Ebene des Leids geht – um physischen Schmerz und andere offensichtliche Formen von
Leid –, billigen wir auch den Tieren die Fähigkeit zu, diese
Erfahrungen als Leid wahrzunehmen und sich in mancher
Hinsicht, wenn vielleicht auch nur vorübergehend, davon zu
befreien. Das Leid der Veränderung, die zweite Ebene, bezieht sich auf Erfahrungen, die wir eigentlich als erfreulich
oder Glück verheißend ansehen. Dem Leid der Veränderung

sind diese Erfahrungen unterworfen, weil sie zu umso größerer Unzufriedenheit führen, je länger wir uns ihrer erfreuen. Würden diese Erfahrungen uns wahres, dauerhaftes Glück bescheren, müsste, je länger sie andauern, das Glücksgefühl auch umso länger anhalten.

Dies trifft jedoch nicht zu. Nur allzu häufig verwandelt sich eine anscheinend erfreuliche und anfangs Glück verheißende Erfahrung irgendwann im weiteren Verlauf in Leid, führt zu Frustration und so weiter. Obgleich man hier aus herkömmlicher Sicht von Glück spricht, sind solche Erfahrungen in einem anderen Sinn von leidhafter Natur. Wenn man den erfreulichen Empfindungen auf den Grund geht, erkennt man ihren vielfach höchst bedingten Charakter. Als erfreulich definieren wir eine Erfahrung gewöhnlich unter Bezugnahme auf eine intensivere Form von Leid, das für den Moment gerade ein Ende gefunden hat. Was wir als «Freude» oder «Glück» bezeichnen, gleicht eigentlich eher einer vorübergehenden Abwesenheit von intensivem Leid und Schmerz.

Darin besteht jedoch nicht jene tiefere Bedeutung von Leid, über die wir im Buddhismus sprechen. Das Leid der Veränderung wird in zahlreichen anderen spirituellen Überlieferungen ebenfalls als solches aufgefasst. Zum Beispiel haben die buddhistischen wie die nichtbuddhistischen Überlieferungen Indiens bestimmte Methoden miteinander gemeinsam, mit deren Hilfe die Menschen diese Erfahrungen als Leid erkennen und sich vorübergehend davon befreien können. Zu ihnen zählen verschiedene Meditationstechniken, die Entwicklung tiefer Versenkungszustände, Kontemplationen, und so weiter.

Unser Interesse gilt hier der dritten Stufe des Leids, dem so genannten Leid der allgegenwärtigen Bedingtheit. Im Leid der Bedingtheit haben die beiden anderen Arten von Leid ihren Ursprung. Darin besteht die eigentliche Natur unseres Daseins, welches das Ergebnis von Karma, Illusion und getrübten Emotionen ist. Unser schieres Dasein als unerleuchtete Wesen wird im Buddhismus als fundamental unbefriedigend, als Duhkha, als Leid, bezeichnet. Wenn wir Mitgefühl und Entsagung praktizieren, müssen wir wirkliches Verlangen entwickeln, uns von dieser dritten Leidensebene frei zu machen. Doch dieses Verlangen kann sich nur einstellen, sofern wir die Natur des Leids und seine Ursachen begreifen.

Wenn wir die Vier Edlen Wahrheiten ihrer logischen Abfolge gemäß darlegen, sollte die zweite Wahrheit – aus dieser Perspektive der Ursprung des Leids – an vorderster Stelle stehen und die Wahrheit vom Leid des Leidens, normalerweise die erste Wahrheit, dahinter. Der Weg zum Aufhören des Leids rückt an die dritte und das Aufhören des Leids an die vierte Position.

Der Buddha hat diese vier Wahrheiten anders angeordnet, und zwar im Hinblick auf die individuelle Entwicklung von Einsicht. Vor diesem Hintergrund lehrte er zuerst die Wahrheit vom Leid des Leidens. Haben Sie diese nämlich verstanden, werden Sie zu ergründen versuchen, wodurch das Leid verursacht wird; und dann werden Sie fragen, ob man davon freizukommen vermag. Erst wenn Ihnen klar ist, dass das Leid tatsächlich aufhören kann, werden Sie die vierte Wahrheit herausfinden wollen – den wahren Weg beziehungsweise die Mittel, mit denen Sie das Aufhören erreichen können.

Um echte Entsagung aufbringen zu können, muss man unbedingt begreifen, dass auf Grund von Einsicht in die letztendliche Natur der Wirklichkeit das Leid tatsächlich aufhören kann. Das ist hier der Ausschlag gebende Punkt.

Bei mir persönlich regte sich vor ungefähr 30 Jahren ein ernsthaftes Interesse an der Leerheit; und durch das Ineinandergreifen von Kontemplation, Studium und Meditation gelangte ich an einen Punkt, an dem ich nach eigener Einschätzung eine gewisse Vorstellung davon gewonnen hatte, was das eigentlich ist, «Leerheit». Allerdings kann ich nicht von mir behaupten, eine unmittelbare Verwirklichung von Leerheit erreicht zu haben.

Einigen Kollegen habe ich zugesagt, eine lange Pause einzulegen, falls ich den Punkt des wahren Aufhörens jemals erreichen sollte! Und das, weil wahres Aufhören nicht einfach nur eine vorübergehende Erholung von leidvollen Erfahrungen und ihren Ursachen bedeutet, sondern deren vollständige Aufhebung. Es liegt in der Natur des wahren Aufhörens, dass für das Auftreten von negativen Gedanken und Emotionen keinerlei Grundlage mehr vorhanden ist – selbst unter jenen Voraussetzungen, die normalerweise solche Gedanken und Emotionen hervorrufen würden. Darin besteht das wahre Aufhören.

Dank gründlicher Kontemplation über die Natur des Leids, über den Ursprung des Leids, über die Verfügbarkeit von wirksamen Mitteln gegen die Ursachen des Leids und dank der Besinnung auf die Möglichkeit, sich vom Leid und seinen Ursachen vollständig zu befreien, können Sie zu echter Entsagung gelangen. Sie werden daraufhin nämlich wirklich bestrebt sein, vom Leid freizukommen. Weil Sie diese unerleuchteten Daseinserfahrungen durchlaufen, von negativen Gedanken und Emotionen beherrscht werden, fühlen Sie sich in diesem Stadium vollkommen erschöpft.

Sobald das Bestreben, sich aus dieser Art von Dasein zu befreien, fest in Ihnen verankert ist, können Sie dieses Bestreben den anderen zugute kommen lassen: Sie können sich auf die leidvollen Erfahrungen der anderen konzentrieren, die sich mit Ihren eigenen Erfahrungen decken. Wenn Sie dies mit der zuvor angesprochenen Reflexion verbinden – wenn Sie also alle empfindenden Wesen als Ihre lieben Mütter betrachten, sich ihre Güte vor Augen führen und sich über die fundamentale Gleichheit zwischen Ihnen und den anderen im Klaren sind –, besteht eine reelle Chance, dass sich wirkliches Mitgefühl bei Ihnen einstellt. Erst dann haben Sie das echte Bestreben, den anderen von Nutzen zu sein.

Mit zunehmender Einsicht und Erfahrung wandelt sich auch Ihre Einstellung zu den Drei Kostbarkeiten, also zum Buddha, zum Dharma und zum Sangha. Ihre Hochachtung vor dem Buddha wird umso größer sein, je gründlicher Sie seine Lehre, den Dharma, verstehen – insbesondere die Bedeutung des Aufhörens und des zum Aufhören führenden

Weges. Der Buddha ist nicht nur der Meister, dem wir diese Dharma-Belehrungen verdanken, sondern auch der Inbegriff, die Verkörperung dieser wundervollen Geistesprinzipien. Zugleich wird Ihre Bewunderung für den Sangha, die Gemeinschaft der Praktizierenden, immer größer werden, da er ebenfalls den Dharma repräsentiert. Darauf basiert dann die Zufluchtnahme zu Buddha, Dharma und Sangha.

Lama Tsongkhapa erklärt in seinem «Lobpreis des bedingten Entstehens»:

> Da du lehrst, was du selbst herausgefunden hast,
> bist du die unübertroffene Weisheit und der
> unübertroffene Lehrer.
> Dir gilt meine Ehrerbietung, da du zur Einsicht in
> Buddhas Lehre
> vom bedingten Entstehen gelangt bist und diese
> verbreitet hast.

Wenn Sie sich in der eben skizzierten Art und Weise auf die Natur des Leids besinnen, werden Sie feststellen, dass Sie eine sehr stabile Grundlage für eine erfolgreiche Praxis geschaffen haben. Sie greifen sich keineswegs einfach immer nur *einen* Gesichtspunkt heraus und konzentrieren blindlings all Ihre Energie darauf. Vielmehr verschaffen Sie sich einen Überblick über den gesamten Weg und richten erst dann Ihr Augenmerk auf einen bestimmten Aspekt der Praxis. So kann Ihr Verständnis des größeren Rahmens die jeweilige Praxis bereichern.

Je weiter Sie auf diesem Weg voranschreiten, desto höher wird der Wert sein, den Sie dem menschlichen Leben beimessen. Sie begreifen die Kostbarkeit des menschlichen Daseins und der mit ihm einhergehenden Möglichkeit, über solche Fragen nachdenken und sich einer spirituellen Praxis widmen zu können. Sie wissen dann auch einen Aspekt besser zu würdigen, den zahlreiche große Meister Tibets immer wieder aufs Neue hervorgehoben haben: Weil das menschliche Leben so kostbar und so schwer zu erlangen ist, sollten wir die Chance, die uns dieses Leben bietet, nicht verstreichen lassen. Da das Leben solch großen Wert hat, ist es wichtig, *jetzt gleich* etwas Bedeutsames daraus zu machen. Denn das Leben vergeht. Das liegt in seiner ureigensten Natur.

Wie Sie sehen, können Sie hier sämtliche Elemente aus den verschiedenen spirituellen Übungen so miteinander kombinieren, dass sich deren Einzeleffekte in Ihrer täglichen Praxis potenzieren.

Lassen Sie uns festhalten: Wir können unseren Geist schulen, indem wir das doppelte Bestreben entwickeln, anderen eine Hilfe zu sein und ihnen zuliebe die Buddhaschaft zu verwirklichen. Indem wir beides miteinander verbinden, können wir Bodhichitta mit Leben erfüllen, den unübertrefflichen Ausdruck des altruistischen Prinzips und die Quelle aller spirituellen Qualitäten.

Vernunft, Glaube und Erfahrung

Einige Aspekte der buddhistischen Lehre muss man wohl, zumindest im Anfangsstadium, zunächst einmal einfach deshalb gelten lassen, weil ein Dritter sich für ihren Wahrheitsgehalt verbürgt – obwohl dem buddhistischen Ansatz entsprechend normalerweise unser persönliches Verständnis auf eigener Überlegung und Erfahrung beruhen sollte. Im Buddhismus sagt man nicht: Der Buddha ist großartig, weil er vollkommen erleuchtet war; und dem Dharma muss man Glauben schenken, weil der Buddha ihn gelehrt hat. Vielmehr bringen wir dem Dharma zunächst einmal aus Wertschätzung für den spirituellen Weg Respekt und Bewunderung entgegen. Diese müssen sich allerdings durch ein tieferes, auf persönlicher Erfahrung und Überlegung beruhendes Verständnis der wesentlichen Lehren weiterentwickeln. Erst dann, auf dieser Grundlage, sollte man Bewunderung für den Buddha als Person, als Lehrer und Verkörperung des Dharma, hegen. Die Zuverlässigkeit des Buddha als spiritueller Lehrer beruht also auf der Zuverlässigkeit des von ihm gelehrten Dharma.

In einigen Fällen kann dann aber doch der Buddha als zuverlässiger Lehrer die Grundlage für eine Anerkennung gewisser Aspekte der Lehre sein. Dies steht in Einklang mit jener buddhistischen Auffassung, der zufolge es unterschiedliche Kategorien von Phänomenen gibt. Viele Phänomene sind für uns ganz offenkundig – Dinge oder Begebenheiten, die uns über die eigene Erfahrung direkt zugänglich sind. Wir können sie sehen, anfassen oder empfinden. Ihre Existenz wird uns unmittelbar bestätigt. Sie werden «offenkundige» oder «empirische» Phänomene genannt.

Die Phänomene der zweiten Kategorie werden als «ein wenig schwerer zugänglich» oder «ein wenig verborgen» bezeichnet. Zwar können wir sie vielleicht nicht direkt mit unseren Sinnen wahrnehmen, doch wir sind in der Lage, anhand von empirischen Belegen auf ihr Vorhandensein zu schließen.

Die Phänomene der dritten Kategorie werden als «äußerst unzugänglich» oder «äußerst verborgen» bezeichnet. Hierbei handelt es sich um Daseinsfakten, die uns im Anfangsstadium unserer spirituellen Entwicklung völlig verborgen bleiben. An diesem Punkt ist uns einfach kein Zugang zu ihnen möglich. Sie sind uns weder durch Schlussfolgerung noch durch direkte Erfahrung zugänglich. Selbst im Buddhismus müssen wir die Gültigkeit solcher Tatsachen wohl zunächst einmal einfach deshalb anerkennen, weil ein Dritter ihren Wahrheitsgehalt bestätigt.

In diesem Zusammenhang möchte ich etwas ansprechen, das wohl alle großen Weltreligionen miteinander verbindet: die Notwendigkeit, schlicht und einfach auf den eigenen Weg zu vertrauen. Man sollte also nicht versuchen, zwei Wege gleichzeitig zu beschreiten. Mit anderen Worten, es kommt darauf an, voller Hingabe dem eigenen Weg zu folgen.

Ausschließlichkeitsanspruch oder religiöser Pluralismus –

das ist hier offenbar die Frage. Anders gefragt: Gibt es *eine* Wahrheit oder viele Wahrheiten? *Eine* Religion oder viele Religionen?

Meiner Meinung nach besteht zwischen diesen Alternativen kein echter Widerspruch. Eher verhält es sich doch wohl so, dass aus Sicht des praktizierenden Individuums das Prinzip der einen Wahrheit und der einen Religion, aus dem Blickwinkel der Gesellschaft oder einer Gruppe von Menschen hingegen das Prinzip der vielen Wahrheiten und der vielen Religionen gilt. In jeder Gesellschaft sind die Menschen so verschieden, und sie verkörpern so viele unterschiedliche geistige Neigungen, dass das eine das andere nicht ausschließt.

Selbstverständlich gibt es auch innerhalb des buddhistischen Denkens viele verschiedene Schulrichtungen. Wir können uns zum Beispiel einen Menschen vorstellen, nach dessen Dafürhalten die Schule des Mittleren Weges mit ihrem Leerheitsverständnis den philosophischen Standpunkt des Buddha am besten wiedergibt. Zugleich aber würde er oder sie einräumen, dass die Lehren des Buddha zahlreiche andere Auffassungen beinhalten, die derjenigen des Mittleren Weges teilweise widersprechen.

Entsprechend würde ein Befürworter der Nur-Geist-Schule erklären, die Auffassung von der Nicht-Dualität von Subjekt und Objekt repräsentiere die höchste Philosophie in den Lehren des Buddha, und *sie* sei daher der wahre mittlere Weg. Die betreffende Person stände einfach deshalb auf diesem Standpunkt, weil die Auffassung der Nur-Geist-Schule mehr der eigenen philosophischen Neigung entspräche. Sie würde vielleicht sogar behaupten, bei den Philosophen des Mittleren Weges handle es sich in Wahrheit um Nihilisten, und sie seien zu weit gegangen.

Die Schriftquellen, auf die sich die Nur-Geist-Schule stützt, insbesondere das «Sutra zur Offenlegung der Intention [des Buddha]» *(Samdhinirmocana-Sutra)*, werden dem Buddha zugeschrieben. Bei der Lektüre dieser Schrift stoßen wir nirgends auf eine Aussage, die so oder ähnlich lautet: «Dies sage ich euch zuliebe, um euren geistigen Neigungen gerecht zu werden. Meine eigene Position hingegen bringe ich an anderer Stelle zum Ausdruck.» Kein Hinweis darauf. Vielmehr legt das Sutra allem Anschein nach dar, dass die hier ausgesprochene Wahrheit die letztendliche Wirklichkeit repräsentiert. Allerdings sagt man, es könne schädliche Auswirkungen haben, wenn man Menschen mit einer Vorliebe für die Nur-Geist-Schule die Dharma-Lehren über die Leerheit unterbreite. Denn dies könne die Betreffenden zu einer nihilistischen Haltung verleiten.

Generell haben die Menschen höchst unterschiedliche spirituelle und philosophische Neigungen. Zum Beispiel spielt für manche die Vorstellung von einem Schöpfergott eine ganz wesentliche, inspirierende Rolle. Sie bildet das Herzstück ihrer spirituellen Überzeugung.

Der Gedanke, lediglich ein einziges Leben – eben das jetzige – zur Verfügung zu haben und das Produkt eines Schöpfers zu sein, kann einem das Gefühl vermitteln, in einer sehr engen Beziehung zu Ihm zu stehen. Dieses Gefühl der Innigkeit und der unmittelbaren Verbindung ist eine große Kraftquelle und kann daher eine solide Grundlage für den Wunsch sein, ein ethisch verantwortungsvolles Leben zu führen. Je näher man sich dem Schöpfer fühlt, desto nachhaltiger wird man sich bemühen, mit seinen Wünschen in Einklang zu leben.

Aber auch hier, unter den Theisten, zeigt sich eine große Vielfalt. Bei den Christen gibt es die Vorstellung einer Dreifaltigkeit. Die Muslime dagegen kennen nichts dergleichen und gehen von einer unmittelbaren Verbindung zum Schöpfer aus. Dies legt den Schluss nahe, dass die Theisten ebenfalls viele unterschiedliche spirituelle Neigungen haben. Entscheidend ist dabei meiner Meinung nach, was *Sie* für besonders wirkungsvoll halten, was Ihrem Temperament und Ihrer spirituellen Neigung am besten entspricht. Darin besteht Ihr Weg.

Einsicht in die letztendliche Natur der Wirklichkeit

Die Vorstellung vom Nicht-Selbst, die Ablehnung eines Eigendaseins, ist allen buddhistischen Schulen gemeinsam. In den Lehren des Buddha wird die Vorstellung von einer ewigen Seele, einem dauerhaft fortbestehenden Selbst, mit großem Nachdruck zurückgewiesen. Denn unsere Verwirrung und unser Leid beruhen zum Großteil auf der irrigen Annahme, dass solch ein Selbst existiere. Eine besondere Rolle spielt dabei der Glaube an ein dauerhaft und unabhängig existierendes Selbst im Innersten unseres Daseins. Die Einsicht, dass solch ein Selbst in Wahrheit nicht existiert, ist daher ein unerlässlicher Schritt auf dem Weg zur Beseitigung dieser Leid bewirkenden Geistestrübungen.

Alle buddhistischen Schulen akzeptieren die Anschauung vom Nicht-Selbst. Aber einige gehen dabei weiter als andere und erklären, wir sollten nicht bloß die unabhängige und reale Existenz des Selbst verwerfen, sondern diese Überlegung auf sämtliche Phänomene, auf die Gegenstände unserer Erfahrung, ausdehnen. Genau in der gleichen Weise, wie das erkennende Subjekt keine unabhängige, eigenständige Existenz hat, gelte dies auch für den Bereich der Erfahrungen beziehungsweise der Phänomene. Nicht nur für Personen, sondern auch für die Erscheinungswelt postulieren diese Schulen also die Lehre vom Nicht-Selbst.

Zwei buddhistische Schulrichtungen vertreten diese Auffassung: die Nur-Geist-Schule (Chittamatra) und die Schule des Mittleren Weges (Madhyamaka). Letztere verwirft ganz allgemein jegliche Vorstellung von einer Eigennatur der Phänomene, von einer ihnen eigenen Identität oder Existenz. Als ich bei einer früheren Gelegenheit vor einem Londoner Auditorium sprach, habe ich dargelegt, welche philosophische Position die Schule des Mittleren Weges in Bezug auf das

Nicht-Selbst vertritt.* Daher sollte ich heute, wie mir scheint, wohl besser das Wirklichkeitsverständnis der Nur-Geist-Schule erläutern.

Die Auffassung der Nur-Geist-Schule

Die Schule des Mittleren Weges charakterisiert das Nicht-Selbst als Nichtvorhandensein eines Eigendaseins beziehungsweise einer eigenen Identität. Die Anhänger der Nur-Geist-Schule vertreten eine andere Position und machen geltend, wenn man das Vorhandensein eines Eigendaseins beziehungsweise einer eigenen Identität in Abrede stelle, lasse sich das für die buddhistische Philosophie so grundlegende Prinzip des bedingten Entstehens nicht aufrechterhalten. Wollen wir zu einem schlüssigen Verständnis des bedingten Entstehens gelangen, müssen wir aus ihrer Sicht anerkennen, dass hier Dinge in Wechselwirkung zueinander stehen und einander bedingen. Daher müssen diese Dinge, so argumentieren sie, über ein Eigendasein beziehungsweise eine Eigennatur verfügen.

Bestimmte Passagen im «Sutra von der Vervollkommnung der Weisheit» *(Prajnaparamita-Sutra)* scheinen allerdings die Madhyamaka-Auffassung zu untermauern. Deshalb muss die Nur-Geist-Schule eine Möglichkeit finden, diese Passagen im Sinn der eigenen Position zu interpretieren. Dazu dient die Theorie von den Drei Naturen, wonach das Nichtvorhandensein einer eigenen Identität dem Zusammenhang entsprechend in unterschiedlicher Weise verstanden werden muss.

Im einen Fall besteht die Natur der Phänomene demnach

---

* 1994 an der Londoner Middlesex-Universität. Dorthin war der Dalai Lama von der Weltgemeinschaft für christliche Meditation zu einem dreitägigen Seminar, dem seit 1984 alljährlich stattfindenden John-Main-Seminar, eingeladen worden.

lediglich in einer Benennung, mit der unser Geist die Dinge versieht, in einer bloßen Gedankenkonstruktion. Dies ist der Nur-Geist-Schule zufolge die benannte Natur *(parakalpita)*. Von ihr wird gesagt, sie sei ohne eigene Merkmale. Als Zweites gibt es die bedingte Natur *(paratantra)* von Phänomenen, die zwar eine Eigennatur besitzen, deren Entstehung aber von etwas anderem abhängt. Das heißt, sie entstehen nicht von alleine, sondern auf Grund von äußeren Ursachen und Bedingungen. Als Drittes kommt die – als «Leerheit» bezeichnete – letztendliche Natur *(parinispanna)* hinzu, von der es heißt, sie sei ohne absolute Identität.

Der Nur-Geist-Schule zufolge sind diese drei Naturen universell, was definitionsgemäß bedeutet, dass sie sich auf sämtliche Phänomene erstrecken. Jedes Phänomen hat also eine bedingte Natur, eine benannte Natur und eine letztendliche Natur, wobei die eine jeweils in enger Wechselbeziehung zu den beiden anderen steht: Die bedingte Natur ist die Grundlage für unsere Projektionen; die unabhängige Wirklichkeit, die wir den bedingten Phänomenen aus gewohnheitsmäßiger Neigung zusprechen, ist die benannte Natur; und die fehlende Realität dieser gedanklichen Konstruktion ist die letztendliche Wirklichkeit. Die bedingte Natur bildet also die Grundlage, die benannte Natur ist die darauf projizierte Gedankenkonstruktion, und die letztendliche Wirklichkeit ist die Leerheit dieser Konstruktion.

Die Nur-Geist-Schule charakterisiert diese letztendliche Natur, die Leerheit, in zweifacher Weise. Einerseits als Nicht-Dualität von Subjekt und Objekt. Das wahrnehmende Subjekt und die Wahrnehmung, so wird dargelegt, sind letztlich nicht zwei, nicht-dual, und erst unsere Vorstellung konstruiert die Trennung zwischen ihnen. Andererseits, so erklärt man, haben wir bei unserer gewöhnlichen Wahrnehmung die Neigung, Objekte so aufzufassen, als wiesen sie gewisse Merkmale auf, die sie zu eindeutigen Objekten unserer Sprache und unserer Vorstellungen machten. Dies ist jedoch nicht der Fall.

Zum Beispiel beziehen wir uns mit einem bestimmten Begriff auf ein Objekt und bezeichnen es mit diesem Begriff. An sich existiert das Objekt aber nicht als eindeutiges Bezugsobjekt dieser Bezeichnung. Vielmehr wird erst im Rahmen unserer Sprach- und Denkprozesse eine begriffliche Vorstellung mit einem Objekt verknüpft.

Die Nur-Geist-Schule erklärt, dass wir Worte und Vorstellungen zwar einerseits lediglich in einer relativen, bedingten oder provisorischen Weise auf Objekte beziehen, uns andererseits aber nicht dementsprechend verhalten. Auf die Frage: «Was bedeutet das Wort ‹Körper›?», würden wir unwillkürlich auf einen physischen Körper verweisen und sagen: «Das ist ein Körper.» Irgendwie glauben wir, es gebe etwas in einem objektiven Sinn Wirkliches am Körper, das ihn zum eindeutigen Bezugsobjekt des Begriffs «Körper» und der damit verknüpften Vorstellungen macht. Doch der Nur-Geist-Schule zufolge trifft das so nicht zu. Die Beziehung zwischen dem Begriff «Körper» und dem Objekt «Körper» ergibt sich erst im Rahmen eines komplexen Systems von Konventionen. Gäbe es in der Beziehung zwischen dem Begriff und dem Objekt etwas objektiv Wirkliches, dann müssten wir, so die Argumentation, die Vorstellung «Das ist ein Körper» bereits haben können, bevor wir unsere sprachliche Zuordnung vorgenommen haben. Trotz alledem verhalten wir uns gewöhnlich so, als stünden die Dinge in einer Art absoluter Beziehung zu den Worten, mit denen wir sie bezeichnen, als hätten sie eine unabhängige, objektive Realität, die gewährleistet, dass wir uns zu Recht mit diesen Begriffen auf sie beziehen.

Die Nur-Geist-Schule erklärt, man könne, um der eigentlichen Natur der Wirklichkeit nahe zu kommen, die Natur der Namen und Begriffe, die Bezugsobjekte dieser Begriffe, die Natur der Phänomene und die spezifischen Merkmale der Phänomene erforschen. Dieser Ansatz wird «die vier Überprüfungen» oder «die Erforschung durch die vier Zugänge» genannt. Er verhilft uns zu Einsicht in diese vier Aspekte der

Erscheinungswelt – den Begriff, das Bezugsobjekt, die Natur der Phänomene und ihre Merkmale. Diese Einsicht, so heißt es, führt dann zum Verständnis ihrer letztendlichen Natur, der Nicht-Dualität von wahrgenommenem Objekt und wahrnehmendem Subjekt.

Zwar neigen wir in unserer naiven Weltsicht zu der Annahme, die Dinge existierten tatsächlich in der Weise außerhalb von uns, wie es unserer gewöhnlichen Wahrnehmung entspricht. Die Wahrnehmung eines Objekts und das tatsächliche Ding als solches sind jedoch der Nur-Geist-Schule zufolge in Wirklichkeit nicht voneinander getrennt, sondern zwei Aspekte desselben Phänomens. Diese Schule vertritt also die Auffassung, bei dem, was wir als materielle äußere Wirklichkeit wahrnehmen, handle es sich lediglich um eine Projektion des eigenen Geistes. In Wirklichkeit, so ihre Position, existieren das wahrnehmende Subjekt und die Wahrnehmung simultan; sie haben an derselben Realität Anteil; und sie gehen aus derselben Quelle hervor.

Die Nur-Geist-Schule trägt der Komplexität des Wahrnehmungsprozesses Rechnung, indem sie ihn in verschiedene Aspekte untergliedert. Nehmen wir ein Objekt wahr, etwa eine Form, so besteht ein Element dieser Wahrnehmung darin, das Wahrnehmungsobjekt als etwas Bestimmtes – zum Beispiel als blauen Gegenstand – zu erkennen. Ferner hat man im Rahmen dieser Wahrnehmung zugleich die Vorstellung, dass der blaue Gegenstand ein korrektes Bezugsobjekt für den Begriff «blau» ist. Außerdem lässt uns ein weiterer Wahrnehmungsaspekt glauben, dass dieser blaue Gegenstand von sich aus – objektiv – als Bezugsobjekt für den Begriff «blau» existiert. Und schließlich nehmen wir diesen blauen Gegenstand als etwas von der Wahrnehmung selbst Unabhängiges und Getrenntes wahr.

Die Nur-Geist-Schule erklärt die Dynamik dieser unterschiedlichen Wahrnehmungsaspekte, indem sie uns verschiedene Neigungen zuschreibt. Die Wahrnehmung eines blauen Gegenstandes als blau lässt sich, so argumentieren ihre

Anhänger, darauf zurückführen, dass wir an die Wahrnehmung blauer Gegenstände vielfach gewöhnt sind. Das Erkennen von Blau als Bezugsobjekt des Begriffs «blau» soll auf unsere Gewöhnung an Sprache und Konventionen zurückzuführen sein. Unsere Auffassung, der blaue Gegenstand sei nicht nur ein Bezugsobjekt des Begriffs «blau», sondern existiere auch von sich aus – objektiv – in dieser Weise, zeugt der Nur-Geist-Schule zufolge von der Prägung durch unsere Tendenz, an der Vorstellung von einer unabhängigen Existenz (in diesem Fall die Existenz von Blau) festzuhalten. Bei dem vierten Wahrnehmungsaspekt schließlich, unserer Neigung zu der Annahme, der blaue Gegenstand sei unabhängig von der Wahrnehmung, die wir von ihm haben, soll es sich um die Prägung durch eine weitere Tendenz handeln, die so genannte «Tendenz des unerleuchteten Daseins». Den ersten beiden dieser vier Prägungen – und den dazugehörigen Wahrnehmungsaspekten – wird eine reale Grundlage zugebilligt; von den anderen beiden Prägungen und den mit ihnen einhergehenden Wahrnehmungen wird hingegen gesagt, sie beruhten auf Täuschung.

Letzten Endes vertritt die Nur-Geist-Schule den Standpunkt, beim Subjekt, beim wahrgenommenen Objekt und bei der Apperzeptionsfähigkeit (einer reflexiven Eigenschaft des Bewusstseins) handle es sich jeweils um einen anderen Aspekt desselben Phänomens. In diesem Sinn betrachten ihre Anhänger die letztendliche Natur der Wirklichkeit als Nicht-Dualität von Subjekt und Objekt. Zwischen der Auffassung der Nur-Geist-Schule von der letztendlichen Natur der Wirklichkeit und derjenigen der übrigen Mahayana-Schulen besteht also ein beträchtlicher Unterschied. Im Grundverständnis des spirituellen Weges hingegen gibt es zwischen den verschiedenen Richtungen keine Differenzen.

Für jeden, der sich für die buddhistische Philosophie interessiert, ist es meiner Meinung nach sehr wichtig, die Auffassung der Nur-Geist-Schule von der letztendlichen Natur der Wirklichkeit zu verstehen. Ihre Einwände gegen den Mittleren Weg sollten wir ernst nehmen. Wer wie die Madhyama-ka-Schule jegliche Vorstellung von einem Eigendasein, einer Eigennatur oder einer eigenen Identität verwirft, ist für Nihilismus anfällig. Folglich können wir die Leerheitsphilosophie des Mittleren Weges nur dann wirklich verstehen, wenn wir die Negation des Eigendaseins und der Eigenidentität der Dinge von einer Ablehnung jedweder Existenz zu unterscheiden wissen. Mit anderen Worten, wir müssen in der Lage sein, auf die Kritik der Nur-Geist-Schule einzugehen und die Zurückweisung von Eigendasein durch die Schule des Mittleren Weges zu rechtfertigen, ohne das Dasein gänzlich zu negieren.

Im 26. Kapitel seiner Schrift «Grundlegende Weisheit des Mittleren Weges» *(Mulamadhyamakakarika)*, in dem er die zwölf Glieder des bedingten Entstehens untersucht, gibt sich der Madhyamaka-Meister Nagarjuna große Mühe, die Negation von Eigendasein zu rechtfertigen, indem er die Gründe aufführt, weshalb dies keine nihilistische Position ist. Zwischen Leerheit und bloßem Nichts besteht also ein großer Unterschied; und zwischen der Negation von Eigendasein und der Negation des Daseins insgesamt ebenso.

FRAGEN AN DEN DALAI LAMA

Frage: Im Sinn einer spirituellen Praxis und eines langfristigen Ziels kann ich nachvollziehen, dass wir emotionale Trübungen durch Einsicht in die Leerheit bereinigen können. Wie aber kann man, von Wut übermannt, gleich an Ort und Stelle damit arbeiten?

Dalai Lama: Das hängt weitgehend von jedem Einzelnen ab. Bei einem Menschen, der durch seine Praxis über eine tiefe Erfahrung von Bodhichitta verfügt, den weltlichen Dingen entsagt und ein gewisses Verständnis von Leerheit hat, wird es ganz selten Momente von starken negativen Emotionen wie Wut und Hass geben. Und wird doch einmal dieser Punkt erreicht, kann so jemand sich sofort auf die entsprechende Dharma-Belehrung besinnen und eine Verbindung zur eigenen spirituellen Verwirklichung herstellen. Auf diese Weise lässt sich augenblicklich die Intensität der negativen Emotionen abmildern.

Wenn Sie jedoch so wie ich über keine entsprechend tiefe Verwirklichung verfügen, versuchen Sie am besten sicherzustellen, dass Sie erst gar nicht in Situationen oder Umstände geraten, die starke negative Emotionen hervorrufen könnten. Allgemein wird gesagt, dass Anfänger weit besser daran tun, solche Situationen zu vermeiden, statt sich ihnen auszusetzen, und ich glaube, das trifft wirklich zu. Auf Grund von Erfahrung können Sie ein Gefühl dafür entwickeln, welche Umstände Sie zu einem Ausbruch von starken negativen Emotionen verleiten können, und Sie sind in der Lage, alles in Ihren Kräften Stehende zu tun, dies zu vermeiden. Steigen dann aber doch einmal starke negative Emotionen wie Wut und Hass in Ihnen auf, können Sie einen Weg finden, mit ihnen umzugehen, sofern diese Emotionen noch nicht voll zum Ausbruch gekommen sind. Andernfalls können Sie wohl nicht mehr viel ausrichten. Sollte Letzteres der Fall sein, schreien Sie vielleicht am besten so sehr, als seien Sie von Sinnen.

Während meiner Kindheit im Norbulingka, im Sommerpalast in Lhasa, pflegten die Palastgehilfen mir zu erklären, wenn ich über meine Spielkameraden wütend sei, solle ich mir in die Fäuste beißen. Rückblickend halte ich das für einen ziemlich klugen Ratschlag. Denn wahrscheinlich beißt man umso fester zu, je wütender man ist. So wird man richtig wachgerüttelt und erhält einen mahnenden Hinweis, nicht so wütend zu sein, weil man ja selbst den schmerzenden Biss verspürt. Außerdem lenkt der Schmerz den Geist unverzüglich von der Wut ab.

Frage: Eure Heiligkeit, ich möchte so gern ein besserer, gütigerer Mensch sein, möchte mitfühlend sein und all meine negativen Gedanken und Handlungen ablegen. Aber je mehr ich darauf hinzuarbeiten versuche, desto mehr mache ich falsch, umso mehr Rückschläge scheine ich zu erleben. Ich komme mir dabei vor, als würde ich mich durch Morast hindurcharbeiten. Können Sie mir einen Rat geben?

Dalai Lama: Nach meinem Dafürhalten zeigt das, wie ernst Sie die Dharma-Belehrung genommen haben. Tatsächlich handelt es sich um eine ganz ähnliche Situation wie bei einem Meditationsanfänger. Wenn Sie eine Pause einlegen, um sich hinzusetzen, sich zu besinnen und einen Meditationsversuch zu unternehmen, beginnen Sie zu erkennen, wie unbeständig Ihre Gedanken doch sind und wie sehr Ihr Geist sich ablenken lässt. Ihnen kommt es dann so vor, als habe durch das Meditieren Ihre Abgelenktheit zugenommen. In Wirklichkeit ist dies aber ein gutes Zeichen – es zeigt, dass Sie erste Fortschritte machen.

Wie ich bereits erläutert habe, lässt sich eine Umwandlung des Geistes nicht leicht vollziehen. Das braucht Zeit. Sie sollten deshalb nicht den Mut und das Interesse verlieren, sondern einfach weitermachen. Dabei hilft es Ihnen, nicht nur in Zeiträumen von ein paar Wochen, ein paar Monaten oder ein paar Jahren zu denken, sondern in Dimensionen von einem Leben nach dem anderen – von tausend Leben, einer Million Leben, Milliarden von Leben, von ganzen Äonen, von endlos vielen, unermesslich langen Zeitspannen. So denkt man im Buddhismus.

Immer wenn ich in mir eine gewisse Frustration verspüre oder zu viel Traurigkeit, rufe ich mir diese wundervollen Zeilen in Erinnerung:

Solange der unermessliche Raum Bestand hat
und solange es noch empfindende Wesen gibt,
möge auch ich ausharren,
um das Leid aus der Welt zu verbannen.

Diese Zeilen wiederhole ich, denke über sie nach und meditiere darüber. Und sogleich verfliegt mein Frustrationsgefühl.

Sie benötigen also größere Entschlossenheit, unabhängig davon, wie lange es dauert, bis Sie sich ändern. Sie müssen diese Art von Entschlossenheit entwickeln, und schon geht alles viel leichter. Wollen Sie hingegen sofort Resultate sehen, werden die Dinge schwieriger. Das ist meine Erfahrung. Falls Sie dem etwas Nützliches abgewinnen können, versuchen Sie, sich daran zu halten. Falls meine Erfahrung ohne Bedeutung für Sie ist, weiß ich auch nicht mehr zu sagen. Einen anderen Ratschlag kann ich Ihnen nicht geben.

4

Die Acht Strophen
zur Umwandlung des Geistes

Bisher sprachen wir über die Grundlage, die den spirituellen Wandlungsprozess möglich macht, und über die Notwendigkeit der Geistesschulung. Der alles entscheidende Punkt ist, Bodhichitta zu entwickeln, die altruistische Geisteshaltung, die in unserem Streben nach Erleuchtung zum Wohl aller empfindenden Wesen besteht und aus der Schulung in den beiden altruistischen Bestrebungen erwächst. Um diese Geistehaltung sollten wir, so wird uns empfohlen, im Interesse einer möglichst wirkungsvollen Praxis ständig bemüht sein – tagtäglich, in unserem gesamten Verhalten, körperlich, sprachlich und geistig. Das beinhaltet auf der sprachlichen Ebene auch die Lektüre von Texten wie «Die Acht Strophen zur Umwandlung des Geistes». Anhand dieses Textes (siehe Anhang I) können Sie sich immer wieder vor Augen führen, welch große Bedeutung dieser Art von Kontemplation zukommt.

Lassen Sie uns einmal schauen, welchen Stellenwert die Bodhichitta-Praxis im Gesamtkontext des tibetischen Buddhismus hat. Man kann den tibetischen Buddhismus als das umfassendste System des Buddhismus bezeichnen; und zwar in dem Sinn, dass er sämtliche Aspekte der buddhistischen Lehren mit einbezieht, auch das Vajrayana. Die Vier Edlen Wahrheiten sind die Essenz der nicht dem Mahayana zugerechneten Dharma-Lehren und bilden die eigentliche Grundlage des buddhistischen Weges. In Verbindung mit der Schulung in ethischem Verhalten dienen die Vier Edlen Wahrheiten auch als Grundlage für die Bodhichitta-Praxis.

Das Entwickeln von Bodhichitta ist der zentrale Bezugspunkt für die Lehre des Buddha und ihre praktische Umsetzung. Hat der Praktizierende Bodhichitta entwickelt, so strebt er oder sie danach, das altruistische Prinzip in allen Bereichen des eigenen Lebens in die Tat umzusetzen. Dies führt zu den so genannten «Bodhisattva-Idealen», einschließlich der «sechs befreienden Qualitäten» – Vervollkommnung von Freigebigkeit und ethischer Disziplin, von Geduld, Ausdauer, meditativer Sammlung und Weisheit. Unter diesen sechs Qualitäten haben die beiden letzten wohl die größte Bedeutung. Denn im Kontext von vollkommener Sammlung und Einsicht werden die Vajrayana-Methoden eingeführt. Wir können die Lehren des Vajrayana als verfeinerte Verfahren zur Verwirklichung von vollendeter Sammlung und Weisheit ansehen. Aus Sicht des tibetischen Buddhismus ist das Höchste Yoga-Tantra *(Anuttarayoga-Tantra)*, in dem man eine detaillierte Darlegung der subtilen Bewusstseinsebenen findet, die höchste Methode zur Vervollkommnung dieser beiden Qualitäten.

Die Mitgefühls-Praxis ist das Herz des gesamten Weges. Das möchte ich ganz deutlich sagen. Jede andere Praxis schafft entweder die Grundlagen, dient als Vorbereitung oder ist eine spätere Anwendung dieser zentralen Praxis. Ferner möchte ich klarstellen, dass in diesem Punkt bei allen buddhistischen Schulen Einvernehmen besteht, unabhängig davon, ob es sich um Mahayana-Überlieferungen handelt oder nicht. Mitgefühl spielt also in sämtlichen Lehren des Buddha eine Schlüsselrolle. Allerdings setzen wir in Zusammenhang mit dem Bodhisattva-Ideal besonders nachdrücklich alles daran, durch Entwicklung von Bodhichitta mehr Mitgefühl aufzubringen.

DIE ACHT STROPHEN

Da ich fest entschlossen bin, das höchste Ziel,
das sogar das wunscherfüllende Juwel an Wert übertrifft,
zum Wohl aller empfindenden Wesen zu erreichen,
mögen mir diese stets lieb und teuer sein.

Im Tibetischen verweist der Anfang der ersten Strophe auf ein Ich beziehungsweise ein Selbst – ein Thema, das wir bereits im ersten Kapitel kurz angeschnitten haben. Jetzt können wir ausführlicher darauf eingehen.

Die Analyse des Selbst, seiner Natur und seiner Existenz, ist für ein Verständnis des buddhistischen Weges von essenzieller Bedeutung. Im Buddhismus gibt es in dieser Frage gewissermaßen zwei große Lager: Auf der einen Seite stellen zwar manche buddhistische Schulen ein Selbst im Sinne eines ewigen Prinzips oder einer unvergänglichen Seele in Abrede; zugleich aber stehen sie auf dem Standpunkt, ein Selbst, eine Person oder ein Individuum sei im Hinblick auf die psychophysischen Komponenten zu bestimmen. So gehen manche Schulen davon aus, die Person sei die Gesamtsumme dieser fünf Komponenten. Andere erklären, das geistige Bewusstsein (eine Erläuterung dieses Begriffs finden Sie auf S. 174) sei die wirkliche Person beziehungsweise das Selbst. Der indische Meister Bhavaviveka beispielsweise hat letzten Endes die Person mit den sechs Arten von Bewusstsein gleichgesetzt. Andere Schulen hingegen, die Nur-Geist-Schule etwa, geben sich mit der Gleichsetzung von Person und geistigem Bewusstsein nicht zufrieden. Sie postulieren eine eigenständige Instanz, die sie als «grundlegendes Bewusstsein» (Alaya-Vijnana) bezeichnen. Von diesem erklären sie, es bleibe konstant und ohne Unterbrechung jederzeit gegenwärtig. Ferner sei es neutral und speichere die Vielzahl der in unserem Geistesstrom vorhandenen Neigungen.

Diese Gruppe buddhistischer Schulen versucht also, das Selbst objektiv mit dem psychophysischen Komplex gleichzusetzen. Warum aber erschien es der Nur-Geist-Schule geboten, unabhängig von unserem allgemeinen geistigen Bewusstsein ein grundlegendes Bewusstsein zu postulieren? Man kam zu dem Schluss, dass es im Leben, zumal bei einem hoch entwickelten Praktizierenden in vollkommen ausgeglichener Leerheitsmeditation, Augenblicke gibt, in denen alle Bewusstseinsaspekte des Meditierenden vollkommen rein und ungetrübt sind. Da der oder die Betreffende jedoch noch nicht vollkommen erleuchtet ist, müssen die geistigen Verunreinigungen und die von ihnen hinterlassenen Prägungen nach wie vor irgendwo vorhanden sein. Aus diesem Grund hielt man es für geboten, von einer separaten Instanz auszugehen, dem grundlegenden Bewusstsein, einem seiner ureigensten Natur nach neutralen Zustand.

Auf der anderen Seite bestreitet eine philosophische Schulrichtung des Buddhismus namens Prasangika-Madhyamaka jede Notwendigkeit, von einem objektiven Selbst im Sinn eines von sich aus existierenden Gebildes auszugehen. Ihrer Auffassung nach dürfen wir weder vom Selbst noch von den Dingen und Geschehnissen annehmen, dass ihnen eine objektive, unabhängige Wirklichkeit zukommt. Vielmehr ist aus ihrer Sicht die Existenz des Selbst beziehungsweise der Person als eine den Geist-Körper-Komplex betreffende Konstruktion zu verstehen, als ein Attribut von Geist und Körper, das über kein unabhängiges Dasein, keine Eigenidentität verfügt.

Dieser profunderen Sicht zufolge handelt es sich beim Selbst um eine dem Gesamtkomplex der psychophysischen Komponenten beigelegte Bezeichnung. Der Prasangika-Madhyamaka-Schule gemäß ist das Selbst so beschaffen, dass man bei einem Versuch, seiner realen Existenz anhand der ihm zugeschriebenen körperlichen und geistigen Faktoren auf die Spur zu kommen, nichts finden kann, das sich dem wirklichen «Selbst» gleichsetzen ließe. Die Prasangikas unterziehen den Begriff des Selbst der so genannten «Analyse in sieben Punkten» (siehe Glossar). Dabei sind sie letztlich zu folgender Feststellung gelangt: Aus dem Umstand, dass sich bei der Analyse von Körper und Geist kein Selbst beziehungsweise keine Person auffinden lässt, dürfe man nicht folgern, solch ein Selbst (oder eine Person) existiere überhaupt nicht. Vielmehr existiere es nur im Sinn einer Bezeichnung.

Von diesem Ansatz ausgehend, gelangten sie unter anderem zu dem Schluss, dass es zu nichts führe, sich im Übermaß mit Analysen zu beschäftigen und eine metaphysische Wirklichkeit für das Selbst zu postulieren. Vielmehr sollten wir die Wirklichkeit des Selbst oder der Person auf Grund allgemeiner Übereinkunft anerkennen und keine weiter gehenden Nachforschungen anstellen.

Indem Sie also allmählich zu der Einsicht gelangen, dass die Wirklichkeit des Selbst lediglich im Sinn einer allgemein akzeptierten Übereinkunft und sprachlichen Gepflogenheit Geltung haben kann, wird Ihnen klar, dass man hier von keiner objektiven, von sich aus bestehenden Wirklichkeit ausgehen darf. Außerdem erkennen Sie, dass das Selbst keine unabhängige Identität hat und nicht von sich aus besteht. Eine Person existiert nicht in und aus sich selbst, sondern lediglich im Kontext der Sprache und des in einer Welt der wechselseitigen Handlungsbezüge vorherrschenden Verständnisses. Diese Analyse ist eine ausgezeichnete Möglichkeit, Einsicht in die Leerheit der Person zu gewinnen.

In gewisser Weise, so die These der Prasangikas, ist die Person durchaus wirklich – auf der Ebene der Benennung, des Begriffs, nicht jedoch in einem objektiven Sinn. Dieser «Begriff» unterscheidet sich allerdings ein wenig von der von anderen buddhistischen Schulen vertretenen Vorstellung von gedanklichen Abstraktionen, die ebenfalls nur dem Namen und Begriff nach existieren. Man darf sich dadurch nicht verwirren lassen. Auch wenn sich die verschiedenen buddhistischen Schulen eventuell desselben Ausdrucks bedienen, kann dieser unterschiedliche Bedeutungen annehmen, je nachdem, in welchem Zusammenhang und von welchem Philosophen er verwendet wird.

So verhält es sich zum Beispiel mit dem Wort für «Eigennatur», *svabhava*. Mitunter stoßen wir in den Schriften von Philosophen der Prasangika-Madhyamaka-Schule auf dieses Wort, obwohl sie die Vorstellung eines Eigendaseins zurückweisen. Die schlichte Tatsache, dass sie sich im einen oder anderen Zusammenhang dieses Wortes bedienen, beinhaltet keine Anerkennung eines Eigendaseins. Daher ist es so wichtig, auf den Kontext zu achten, in dem ein Wort vorkommt.

Wenn wir uns also im Kontext der «Acht Strophen zur Umwandlung des Geistes» auf das «Ich» beziehen, sollten wir dieses nicht als eine Art objektiv wirkliches oder substanziell existierendes Selbst auffassen. Wir sollten uns stets vor Augen halten, dass das Ich oder Selbst – die Wirklichkeit der Person – hier lediglich im Sinn einer allgemein akzeptierten Übereinkunft anerkannt wird.

In der zitierten Strophe bringen Sie den Wunsch zum Ausdruck, dass Ihnen sämtliche empfindenden Wesen stets lieb und teuer sein mögen. Schließlich sind diese Wesen völlig unverzichtbar für Sie: Ihr Vorhandensein ist Voraussetzung dafür, das höchste Ziel – ihrer aller Wohlergehen – erreichen zu können. Und dieses Ziel übertrifft sogar das sagenhafte wunscherfüllende Juwel noch an Wert. Denn so wertvoll solch ein Juwel auch sein mag, zu höchster spiritueller Verwirklichung kann es uns nicht verhelfen.

Ferner wird hier auf die Güte sämtlicher Wesen Bezug genommen. Über diesen Aspekt sprachen wir bereits.

Insbesondere als praktizierender Mahayana-Buddhist können Sie nur dank der anderen empfindenden Wesen Bodhichitta, die altruistische Geisteshaltung, entwickeln. Erst in der Interaktion, in Ihren wechselseitigen Beziehungen zu anderen, können Sie höchste spirituelle Verwirklichung erreichen. Aus diesem Blickwinkel betrachtet, ist die Güte der anderen außerordentlich groß.

Ein ähnliches Prinzip kommt auch in anderen Bereichen der spirituellen Praxis zum Tragen; zum Beispiel bei der «dreifachen Schulung» – der Schulung in ethischem Verhalten, in Meditation und Einsicht. Die anderen Wesen spielen bei dieser Schulung von Anfang an eine wichtige Rolle, etwa bei der höheren Schulung in ethischem Verhalten. Die Essenz der buddhistischen Schulung in solchem Verhalten ist die Ethik der Selbstbeschränkung, die verlangt, dass man anderen keinen Schaden zufügt. Und die wichtigste Praxis besteht hier im Unterlassen der zehn negativen Handlungen.

Eine negative Handlung unterlässt man zuvörderst: das

Töten. Die wichtigste Praxis der ethischen Disziplin, nicht zu töten, steht unmittelbar in Zusammenhang mit der bedeutsamen Rolle, die andere für uns spielen. Außerdem sind dem Buddhismus zufolge manche positiven Eigenschaften, nach denen wir im Leben streben – Langlebigkeit etwa, ein attraktives Äußeres, Wohlstand und so weiter –, die karmischen Konsequenzen unserer Handlungen im Umgang mit anderen Menschen.

Es heißt zum Beispiel, wenn man sich an die ethische Praxis, nicht zu töten, halte, so habe dies Langlebigkeit zur Folge; äußere Attraktivität resultiere aus der Geduld, die man anderen gegenüber aufgebracht hat; Wohlstand gilt als Folgeerscheinung der in einem früheren Leben anderen Menschen erwiesenen Großzügigkeit, und so weiter. Selbst die weltlichen Vorzüge, nach denen wir streben, werden also als Frucht unserer Handlungen im Umgang mit anderen Menschen angesehen.

Wenn wir sagen, dass wir in Gedanken große Wertschätzung für die anderen entwickeln wollen, sollten wir darauf achten, nicht solch ein Mitleid oder Bedauern an den Tag zu legen, das wir mitunter für einen weniger vom Glück begünstigten Mitmenschen empfinden. Mitleid kann mit der Neigung verbunden sein, auf denjenigen, dem es gilt, herabzublicken und ein Überlegenheitsgefühl zu verspüren. Entwickeln wir hingegen große Wertschätzung für andere, so verhält es sich damit genau umgekehrt. Diese Praxis verhilft uns zu der Einsicht, wie gütig und wie unentbehrlich für unsere spirituelle Weiterentwicklung die anderen sind. Wir erkennen ihre enorme Bedeutung an und sehen, welchen Einfluss sie auf unsere Entwicklung haben.

Diese Einsicht erhöht ganz selbstverständlich die Stellung, die sie in unseren Augen einnehmen. Und weil wir so von ihnen denken, können wir ihnen auch mit großer Wertschätzung begegnen. Wir wissen, dass sie unseren Respekt und unsere Zuneigung verdienen. Dementsprechend heißt es in der nächsten Strophe:

Möge ich, wann immer ich mit anderen zu tun habe,
mich *als den Geringsten von allen betrachten*
und den anderen von ganzem Herzen
und voller Respekt höchste Wertschätzung erweisen.

In dieser Strophe klingt die gerade beschriebene Einstellung an. Der Gedanke, sich selbst niedriger einzustufen als andere, darf allerdings nicht dahingehend missverstanden werden, dass wir uns selbst vernachlässigen, den eigenen Bedürfnissen keine Beachtung schenken oder uns für einen hoffnungslosen Fall halten sollen. Vielmehr entspringt er, wie ich bereits dargelegt habe, einer mutigen Geisteshaltung. Diese gestattet Ihnen einen Umgang mit anderen, bei dem Sie genau Bescheid wissen, inwieweit Sie in der Lage sind zu helfen. Missdeuten Sie diesen Punkt also bitte nicht: Wir benötigen echte Bescheidenheit – das ist es, worauf uns diese Strophe hinweisen soll.

Um dies zu veranschaulichen, möchte ich Ihnen eine Geschichte erzählen. Vor zwei oder drei Generationen lebte ein großer Dzogchen-Meister namens Dza Paltrul Rinpoche. Er hatte eine immense Zahl von Schülern. Häufig hörten ihm tausende zu, wenn er den Dharma lehrte. Aber natürlich verbrachte er auch viel Zeit mit Meditation. Gelegentlich machte er sich also auf den Weg, um irgendwo in aller Abgeschiedenheit zu meditieren, und seine Schüler mussten dann durch das Land streifen, um ihn ausfindig zu machen.

Einmal unternahm er eine Pilgerreise, in deren Verlauf er, wie das in Tibet üblich war, für ein paar Tage bei einer Familie zu Gast war: Die Pilger baten eine Familie am Wegesrand um ein Dach über dem Kopf, und als Gegenleistung für ein wenig Essen und etwas Buttertee verrichteten sie einen Teil der in Haus und Hof anfallenden Arbeiten. Dza Paltrul Rinpoche erledigte für seine Gastgeber also mancherlei Hausarbeit; unter anderem leerte er regelmäßig für die Mutter der Gastgeberfamilie, eine ältere Dame, den Toilettentopf aus.

Schließlich tauchten einige seiner Schüler in jener Gegend

auf und erfuhren, dass sich Dza Paltrul Rinpoche irgendwo in der Nähe aufhielt. Mehrere Mönche fanden den Weg zu besagtem Haus und sprachen die Mutter an: «Weißt du, wo Dza Paltrul Rinpoche ist?», fragten sie. «Von einem Dza Paltrul Rinpoche ist mir nichts bekannt», entgegnete sie. Daraufhin beschrieben die Mönche ihren Meister und erklärten ferner: «Wir haben gehört, er soll als Pilger in deinem Haus untergekommen sein.» – «O», rief sie aus, «*er* ist also Dza Paltrul Rinpoche!» Offenbar war Dza Paltrul Rinpoche in diesem Moment gerade ihren Toilettentopf ausleeren gegangen. Entsetzt suchte die Mutter erst einmal das Weite!

Ein Lama wie Dza Paltrul Rinpoche mit seiner in die tausende gehenden Schülerschar war, wenn er den Dharma lehrte, daran gewöhnt, von vielen Mönchen umgeben hoch oben auf einem Thron zu sitzen, und Ähnliches mehr. Doch auch dieser große Lama war, wie die Geschichte verdeutlicht, wahrhaft bescheiden. Ohne zu zaudern, kümmerte er sich um ganz alltägliche Dinge wie das Ausleeren des Toilettentopfes für die alte Dame.

Es gibt spezielle Möglichkeiten, sich anderen Wesen gegenüber in Bescheidenheit zu üben. Nehmen wir ein einfaches Beispiel: Je nachdem, aus welchem Blickwinkel wir einen bestimmten Gegenstand oder eine bestimmte Person betrachten, ergibt sich, wie wir alle aus eigener Erfahrung wissen, jeweils eine andere Perspektive. Das entspricht der Natur des Denkens. Unsere Gedanken haben es so an sich, in einem bestimmten Moment lediglich vereinzelte Merkmale eines vor uns befindlichen Objekts herauszugreifen. Das menschliche Denken ist außer Stande, etwas in seiner Gesamtheit zu erkennen. Auszuwählen, selektiv zu sein, liegt in der Natur des Denkens. Sobald Sie sich darüber im Klaren sind, können Sie aus einem bestimmten Blickwinkel sich selbst niedriger einstufen als andere, sogar im Vergleich zu einem winzigen Insekt.

Nehmen wir einmal an, ich vergleiche mich mit einem Insekt. Ich bin Anhänger des Buddha und ein mit Verstandeskräften ausgestatteter Mensch, der fähig sein sollte, zwischen Richtig und Falsch zu unterscheiden. Ferner sollte ich gewisse Grundkenntnisse über die Lehren des Dharma haben, und eigentlich praktiziere ich die entsprechenden Übungen ja auch. Stelle ich aber dennoch fest, dass gewisse negative Neigungen bei mir zu Tage treten, oder begehe ich auf Grund solcher Regungen negative Handlungen, so könnte man sich durchaus auf den Standpunkt stellen, dass ich in gewissem Sinn niedriger einzustufen bin als das Insekt.

Denn schließlich kann ein Insekt nicht in der Weise zwischen Richtig und Falsch unterscheiden wie ein Mensch; es kann weder langfristig denken, noch ist es in der Lage, komplexe spirituelle Unterweisungen zu begreifen. Aus buddhistischer Sicht ist daher alles, was ein Insekt tut, das Resultat von gewohnheitsmäßigen Reflexen und von Karma. Demgegenüber können Menschen ihr Handeln selbst bestimmen. Handeln wir aber dennoch negativ, so könnte man durchaus behaupten, dass wir niedriger einzustufen sind als jenes unschuldige Insekt. Wenn Sie entsprechende Überlegungen anstellen, gibt es also gute Gründe, sich selbst niedriger einzuschätzen als alle anderen empfindenden Wesen.

Die dritte Strophe lautet:

Möge ich bei allem, was ich tue, den eigenen Geist gründlich
  untersuchen und,
sobald Gedanken und Emotionen aufkommen,
die den Geist trüben und dadurch mich und andere gefährden,
ihnen entschlossen ins Auge schauen und entgegentreten.

Diese Strophe verweist auf ein Dilemma: Als Praktizierende, die dem spirituellen Weg folgen, wollen wir unsere negativen Regungen, Gedanken und Emotionen überwinden. Da wir uns aber seit langer Zeit an unsere negativen Neigungen gewöhnt haben und beim Einsatz der erforderlichen Gegenmittel den nötigen Eifer vermissen lassen, treten getrübte Emotionen und Gedanken unvermittelt und mit Macht in

Erscheinung. Die negativen Neigungen haben einen so starken Einfluss auf uns, dass häufig *sie* unsere Handlungen bestimmen.

Diese Strophe gibt uns zu verstehen, dass wir uns darüber im Klaren sein und dementsprechend wachsam bleiben sollten. Ständig müssen wir ein kritisches Auge auf uns selbst richten, damit wir sofort Notiz davon nehmen, wenn negative Neigungen aufkommen. So können wir ihnen bereits im Moment ihres Entstehens Einhalt gebieten und lassen sie erst gar nicht zu. Wir bleiben auf der Hut und können eine gewisse Distanz zu ihnen wahren. Auf diese Weise verstärken wir sie nicht. Und eine explosive Entladung starker Emotionen – mitsamt den negativen Worten und Taten, zu denen sie führen – bleibt uns erspart.

Im Allgemeinen laufen die Dinge jedoch anders. Zwar wissen wir, wie zerstörerisch sich negative Emotionen auswirken. Aber solange sie nicht sonderlich stark sind, tendieren wir zu der Vorstellung: «Nun, diese Emotion hier ist schon in Ordnung.» Wir neigen zu einem ziemlich fahrlässigen und unbekümmerten Umgang mit unseren Emotionen.

Das Problem dabei ist: Je länger Sie an die Geistestrübungen, an getrübte Gedanken und Emotionen, gewöhnt sind, umso anfälliger werden Sie für ihr neuerliches Auftreten; und eine umso größere Neigung werden Sie haben, sie zuzulassen. Genau auf diese Weise setzt sich Negativität immer weiter fort. Daher betont der Text, wie wichtig es ist, achtsam zu sein, damit Sie jedes Mal, wenn getrübte Emotionen aufkommen, ihnen sogleich Einhalt gebieten und sie unterbinden können.

Wir müssen die buddhistische Lehre im Hinblick auf das Ziel, uns vom Leid zu befreien, verstehen. Darauf habe ich bereits hingewiesen. Aus diesem Grund besteht der entscheidende Aspekt der spirituellen Praxis im Buddhismus darin, unsere negativen Neigungen in den Griff zu bekommen. Es ist sehr wichtig, zumal für einen praktizierenden Buddhisten, sich im täglichen Leben ständig selbstkritisch zu prüfen, sich

die eigenen Gedanken und Empfindungen genau anzuschau-
en, nach Möglichkeit sogar im Traum. Indem Sie sich in der
Anwendung von Achtsamkeit schulen, werden Sie von ihr
einen immer regelmäßigeren Gebrauch machen können. Dadurch wird sie zu einem zunehmend wirkungsvollen Werkzeug für Sie.

Die nächste Strophe lautet:

> *Wenn ich Wesen mit unfreundlichem Charakter sehe,*
> *die von herzlosen Handlungen und von Leid belastet sind,*
> *mögen sie mir so lieb und teuer sein, als hätte ich einen*
> *   kostbaren Schatz entdeckt!*
> *Denn nur selten sind sie zu finden.*

Hier geht es um einen speziellen Fall: um unsere Beziehung
zu Menschen, die am Rand der Gesellschaft gelandet sind; sei
es auf Grund ihres Verhaltens, ihrer äußeren Erscheinung,
ihrer Mittellosigkeit oder infolge einer Erkrankung. Wer
Bodhichitta praktiziert, muss sich um diese Menschen besonders fürsorglich kümmern und die Begegnung mit ihnen
als das Auffinden einer wirklichen Kostbarkeit betrachten.
Wer diese altruistischen Grundsätze wirklich in die Tat umsetzen will, sollte keinen Widerwillen empfinden, sondern
sich auf die Betreffenden einlassen und sich der Herausforde-
rung menschlicher Beziehungen stellen. Durch die Art und
Weise, wie wir mit solchen Menschen umgehen, kann unsere
spirituelle Praxis einen sehr starken Impuls erhalten.

In diesem Zusammenhang möchte ich auf das großartige
Beispiel vieler christlicher Brüder und Schwestern aufmerksam machen, die sich im humanitären Bereich und in Pfle-
geberufen engagieren und sich dabei besonders der Menschen am Rand der Gesellschaft annehmen. In unseren Tagen
war die unlängst verstorbene Mutter Teresa, die ihr Leben der
fürsorglichen Betreuung mittelloser Menschen gewidmet
hat, ein solches Beispiel. Sie hat das in dieser Strophe beschriebene Ideal mustergültig verkörpert.

Dies ist wirklich ein wichtiger Punkt. Und deshalb weise ich bei meinen Begegnungen mit Mitgliedern buddhistischer Zentren in verschiedenen Teilen der Welt häufig darauf hin, dass es nicht genügt, wenn ein buddhistisches Zentrum einfach nur Dharma-Belehrung oder Meditation auf dem Programm stehen hat. Selbstverständlich gibt es sehr eindrucksvolle buddhistische Zentren – und auch einige Retreat-Zentren –, in denen westliche Mönche so gut ausgebildet sind, dass sie die tibetische Klarinette auf traditionelle tibetische Art spielen können! Doch auch ihnen gegenüber hebe ich die Notwendigkeit hervor, das Spektrum der eigenen Aktivitäten um eine soziale Dimension und um Aufgaben aus dem Pflegebereich zu erweitern, damit die in den buddhistischen Unterweisungen dargelegten Grundsätze der Gesellschaft zugute kommen.

Zu meiner Freude kann ich sagen, dass einige buddhistische Zentren, soweit ich gehört habe, mit der praktischen Umsetzung der buddhistischen Grundsätze im sozialen Bereich beginnen. Buddhistische Zentren in Australien etwa gründen meines Wissens Hospize, sie helfen den Sterbenden und kümmern sich um Aids-Patienten. Ferner habe ich von buddhistischen Zentren gehört, die an einer Art spiritueller Schulung in Gefängnissen mitwirken, dort Gespräche führen und eine Beratung anbieten. Das sind sehr schöne Beispiele, finde ich.

Selbstverständlich ist es eine höchst unglückselige Situation, wenn Menschen, dies gilt insbesondere für Strafgefangene, sich aus der Gesellschaft ausgestoßen fühlen. Nicht nur für sie ist das sehr schmerzlich, sondern es ist – aus einem weiter gefassten Blickwinkel – auch für die Gesellschaft ein Verlust. Wir geben diesen Menschen keine Gelegenheit, einen konstruktiven Beitrag für die Gemeinschaft zu leisten, obwohl sie eigentlich über entsprechende Potenziale verfügen. Daher ist es meiner Meinung nach von großer Bedeutung, dass solche Menschen nicht verstoßen werden, sondern dass man sie mit einbezieht und auf ihre Mitwirkung setzt.

Dadurch werden die Betreffenden spüren, dass es in der Gesellschaft einen Platz für sie gibt, und sie werden sich mit dem
Gedanken anfreunden, dass sie uns schließlich doch etwas zu
bieten haben.

Die nächste Strophe lautet:

Möge ich, wenn andere mich aus Eifersucht schlecht behandeln,
indem sie mich beschimpfen, schmähen und verspotten,
die Niederlage auf mich nehmen
und die anderen triumphieren lassen.

Provozieren andere Menschen Sie, grundlos womöglich oder
zu Unrecht, so sollten Sie nicht negativ reagieren, sondern
wirklich altruistisch handeln. Mit anderen Worten, Sie sollten
sich in Nachsicht üben. Das ist die entscheidende Aussage
dieser Strophe. Wenn jemand Sie so behandelt, sollten Sie
Ihre Ruhe und Gelassenheit nicht verlieren.

In der nächsten Strophe erfahren wir, dass wir solchen Menschen gegenüber nicht nur Nachsicht üben, sondern sie auch
als unsere spirituellen Lehrer betrachten sollten:

Selbst wenn mich jemand, dem ich geholfen
oder in den ich große Hoffnungen gesetzt habe,
auf äußerst verletzende Art und Weise behandelt,
will ich ihn gleichwohl als meinen kostbaren Lehrer betrachten.

In Shantidevas *Eintritt in das Leben zur Erleuchtung (Bodhicharyavatara)* wird ausführlich dargelegt, wie wir solch eine
Haltung entwickeln und tatsächlich lernen können, jene
Menschen, die uns Leid zufügen, als unsere spirituellen Lehrer anzusehen. Das dritte Kapitel von Chandrakirtis «Eintritt
in den Mittleren Weg» *(Madhyamakavatara)* bietet ebenfalls
außerordentlich inspirierende und wirkungsvolle Unterweisungen zur Entwicklung von Geduld und Nachsicht.

Die siebte Strophe fasst alle bisher dargelegten Aspekte der
Bodhichitta-Praxis zusammen:

Kurzum, möge ich all meinen Müttern
jede nur mögliche Unterstützung und Freude geben, direkt
und indirekt.
Möge ich jeden Schmerz und jedes Leid meiner Mütter
stillschweigend auf mich nehmen.

Diese Strophe macht uns mit einer ganz speziellen buddhistischen Geistesübung bekannt, der «Praxis des Gebens und Nehmens» (Tong-len). Indem wir das Geben und Nehmen visualisieren, praktizieren wir das Gleichsetzen und Austauschen von uns selbst und anderen.

«Uns selbst gegen andere austauschen» sollte nicht in einem buchstäblichen Sinn aufgefasst werden – so, dass wir zu jemand anderem werden und jemand anderes sich in uns verwandelt. Das wäre ohnehin ein Ding der Unmöglichkeit. Vielmehr ist damit Folgendes gemeint: Die Haltung, die wir gewöhnlich uns selbst beziehungsweise den anderen gegenüber einnehmen, sollte sich genau umkehren.

Wir neigen dazu, das so genannte «Ich» als kostbaren Wesenskern unseres Daseins zu betrachten, um den man sich fürsorglich kümmern sollte; und zwar bis zu einem Punkt, an dem wir durchaus gewillt sind, dem Wohlergehen der anderen keine Beachtung mehr zu schenken. Ganz im Gegensatz dazu läuft unsere Haltung den anderen gegenüber häufig auf Gleichgültigkeit hinaus. Günstigstenfalls sorgen wir uns vielleicht ein wenig um sie, doch selbst das bleibt womöglich auf sentimentale Gefühlsmomente beschränkt. Alles in allem stehen wir dem Wohlergehen der anderen eher teilnahmslos gegenüber und nehmen es nicht wichtig.

Die Besonderheit dieser außergewöhnlichen Praxis besteht also in einer Umkehrung der beschriebenen Haltung. Dadurch soll sich die Intensität, mit der wir an uns selbst haften und hängen, so weit verringern, dass wir es wagen, dem Wohlergehen der anderen eine maßgebliche Bedeutung beizumessen.

Meiner Meinung nach müssen wir allerdings erst einmal

gründlich nachdenken, bevor wir uns mit solchen buddhistischen Übungen näher befassen, die uns nahe legen, Schmerz und Leid auf uns zu nehmen, und uns klarmachen, in welchem Kontext sie eigentlich stehen. Tatsächlich ist mit dieser Praxis Folgendes gemeint: Wenn Sie auf Ihrem spirituellen Weg, in dessen Verlauf Sie an das Wohl der anderen zu denken lernen, stellenweise auf Schwierigkeiten stoßen und vielleicht sogar manches Leid durchzustehen haben, so sollten Sie darauf bestens vorbereitet sein. Der Text besagt hingegen *nicht*, dass Sie sich selbst hassen, streng mit sich sein oder in masochistischer Manier den Wunsch haben sollen, Qualen zu erleiden. Darüber sollte man sich unbedingt im Klaren sein.

Gleich noch ein weiteres Beispiel. Auch die folgende Passage in einem bekannten tibetischen Text dürfen wir nicht missverstehen: «Möge ich den Mut haben, notfalls viele Äonen, zahllose Lebensspannen, sogar in den tiefsten Höllenbereichen zu verbringen.» Soll heißen: Falls Ihr Wirken zum Wohl der anderen Wesen so etwas erforderlich machen *würde*, sollten Sie genügend Mut haben, dies bereitwillig und mit Hingabe auf sich zu nehmen.

Es ist sehr wichtig, diese Textstellen richtig zu verstehen. Ansonsten dienen sie einem vielleicht dazu, irgendwelche Hassgefühle zu untermauern, die sich gegen einen selbst richten. Womöglich werden Sie glauben, da ja schließlich das Ich im Zentrum der Selbstbezogenheit stehe, solle man sich selbst verstoßen und völlig missachten.

Verlieren Sie nicht aus dem Blick, dass hinter dem Wunsch, den spirituellen Weg einzuschlagen, letzten Endes die Motivation steht, höchstes Glück zu erreichen. Das heißt, man erstrebt das Glück ganz genauso für sich selbst wie für die andern.

Allein schon unter praktischen Gesichtspunkten muss man, um echtes Mitgefühl für andere aufbringen zu können, zunächst einmal eine Grundlage haben, auf der sich dieses entwickeln lässt. Und diese besteht in der Fähigkeit, Zugang zu den eigenen Empfindungen zu haben und sich um das eigene Wohl zu kümmern. Wie soll jemand, der dies nicht vermag, sich andern zuwenden und herzliche Anteilnahme für sie aufbringen können? Liebevoller Umgang mit andern setzt liebevollen Umgang mit sich selbst voraus.

Die Praxis des Tong-len, des Gebens und Nehmens, fasst beides zusammen: Man praktiziert Herzensgüte (siehe S. 67 ff.) und Mitgefühl. Bei der Praxis des Gebens steht die Herzensgüte im Vordergrund, bei der Praxis des Nehmens hingegen das Mitgefühl.

In seinem *Eintritt in das Leben zur Erleuchtung* schlägt Shantideva einen interessanten Ansatz zur Durchführung dieser Praxis vor – eine Visualisation, die uns zu wirklicher Einsicht in die Unzulänglichkeiten unserer Selbstbezogenheit verhelfen und uns Methoden zu einer Auseinandersetzung damit an die Hand geben soll: Auf der einen Seite visualisieren Sie Ihr ganz gewöhnliches Ich, das für die Frage nach dem Wohlergehen der anderen völlig unzugänglich und eine Verkörperung der Selbstbezogenheit ist; jenes Ich, das sich einzig und allein um sein eigenes Wohl kümmert – bis zu dem Punkt, an dem es zur Durchsetzung eigener Ziele bereitwillig in Kauf nimmt, andere ganz unverfroren auszunutzen. Außerdem visualisieren Sie auf der anderen Seite eine Gruppe leidender Wesen, die keinen Schutz und keine Zuflucht haben.

Ganz nach Wunsch können Sie Ihre Aufmerksamkeit auf einzelne Personen konzentrieren. Möchten Sie zum Beispiel jemanden visualisieren, an dem Ihnen besonders gelegen ist, also einen guten Freund oder Bekannten, der leidet, dann können Sie speziell diese Person zum Gegenstand Ihrer Visualisation machen und die gesamte Praxis des Gebens und Nehmens auf ihn oder sie beziehen.

Und drittens visualisieren Sie sich selbst als einen neutralen Dritten, als unabhängigen Beobachter, der zu ermitteln versucht, wessen Interesse hier Vorrang hat. In dieser herausgehobenen Position fällt es Ihnen leichter, die Nachteile und Beschränkungen der Selbstbezogenheit zu erkennen und sich

Klarheit darüber zu verschaffen, um wie viel gerechter und vernünftiger es ist, sich um das Wohl der anderen empfindenden Wesen zu kümmern.

Diese Visualisation bringt es mit sich, dass Sie sich den anderen allmählich näher fühlen und schließlich ihr Leid von ganzem Herzen mitempfinden. An diesem Punkt können Sie sich dann der eigentlichen Meditation des Gebens und Nehmens zuwenden.

Eine weitere Visualisation kann bei der Durchführung der Meditation über das Nehmen ganz hilfreich sein: Zunächst richten Sie Ihre Aufmerksamkeit auf leidende Wesen, entwickeln Mitgefühl mit ihnen und versuchen dieses bis zu dem Punkt zu steigern, an dem Sie ihr Leid als nahezu unerträglich empfinden. Zugleich halten Sie sich jedoch vor Augen, dass Sie in praktischer Hinsicht fast nichts unternehmen können, was diesen Wesen helfen würde.

Um sich darauf vorzubereiten, in diesen Dingen künftig mehr ausrichten zu können, visualisieren Sie voller Mitgefühl, dass Sie das Leid dieser Wesen, die Ursachen ihres Leids, ihre negativen Gedanken und Emotionen auf sich nehmen. Zu diesem Zweck können Sie sich all ihr Leid und ihre Negativität als eine dunkle Rauchwolke vorstellen; und Sie visualisieren, dass dieser Rauch in Sie einströmt, um sich dann aufzulösen.

In Verbindung mit dieser Praxis können Sie auch visualisieren, dass Sie die anderen an Ihren positiven Eigenschaften teilhaben lassen. Dazu können Sie auf Vorstellungen von dieser Art zurückgreifen: auf verdienstvolle Dinge, die Sie getan haben; positive Fähigkeiten, über die Sie verfügen; jegliche spirituelle Erkenntnis oder Einsicht, zu der Sie gelangt sind. Diese übermitteln Sie den anderen empfindenden Wesen, damit ihnen die Vorteile solcher Eigenschaften ebenfalls zugute kommen. Zu diesem Zweck können Sie sich Ihre positiven Eigenschaften entweder als strahlend helles Licht oder als einen Lichtstrom von weißlicher Farbe vorstellen. Dieser durchdringt sämtliche Wesen, die ihn in sich aufnehmen.

So führt man die Visualisation des Nehmens und Gebens durch.

Auf andere Wesen hat solch eine Meditation selbstverständlich keine greifbaren Auswirkungen, da es sich eben um eine Visualisation handelt. Doch sie kann dazu beitragen, dass Sie sich stärker für die Wesen interessieren und an ihrem Leid mehr Anteil nehmen. Zugleich hilft sie Ihnen, den Einfluss Ihrer Selbstbezogenheit zu verringern. Darin liegen die Vorzüge dieser Praxis.

Auf diese Weise schulen Sie Ihren Geist in der altruistischen Bestrebung, den empfindenden Wesen zu helfen. Geht diese mit dem Streben nach vollkommener Erleuchtung einher, so haben Sie Bodhichitta entwickelt – die altruistische Geisteshaltung, zum Wohl aller empfindenden Wesen voll und ganz erleuchtet zu werden.

In der letzten der Acht Strophen heißt es:

Möge all dies von Verfälschungen
durch die Makel der acht weltlichen Anliegen frei bleiben.
Und möge ich, indem ich alle Dinge als Illusion erkenne,
an nichts haften und von den Fesseln frei sein.

Die beiden ersten Zeilen dieser Strophe liefern uns das Kriterium für eine unverfälschte spirituelle Praxis. Die «acht weltlichen Anliegen» sind jene Einstellungen, die im Allgemeinen unser Leben beherrschen: Es freut Sie, wenn jemand Sie lobt; es bedrückt Sie, wenn jemand mit Ihnen schimpft oder Sie tadelt. Über Erfolge sind Sie froh; müssen Sie aber Misserfolge erleben, sind Sie niedergeschlagen. Über den Reichtum, den Sie angesammelt haben, sind Sie glücklich; verarmen Sie hingegen, so fühlen Sie sich entmutigt. Sie freuen sich, wenn Sie berühmt sind; und mangelnde Anerkennung empfinden Sie als deprimierend.

Um die Aufrichtigkeit und Unverfälschtheit Ihrer spirituellen Praxis zu bewahren, sollten Sie sicherstellen, dass Ihre altruistische Haltung nicht von diesen Gedanken verunreinigt wird. Ein Beispiel: Findet sich, während ich hier zu Ihnen spreche, in meinem Hinterkopf auch nur der leiseste Hauch des Gedankens, man werde mich hoffentlich bewundern, so zeigt dies, dass meine Motivation durch weltliche Erwägungen verunreinigt ist; verunreinigt durch das, was die Tibeter als die acht weltlichen Anliegen bezeichnen. Man sollte unbedingt in sich gehen, um sicherzustellen, dass dies nicht zutrifft.

Ein weiterer Fall: Möglicherweise verwirklicht ein Praktizierender im täglichen Leben altruistische Ideale. Wenn er oder sie jedoch plötzlich stolz darauf ist und denkt: «Oh, ich bin ein großer Praktizierender!», ist seine Praxis sogleich durch die acht weltlichen Anliegen verunreinigt. Dasselbe gilt, wenn ein Praktizierender in der Erwartung, für die großen Anstrengungen, die er oder sie unternimmt, Lob zu ernten, den Gedanken hegt: «Ich hoffe, die Leute bewundern, was ich mache.» Bei all dem handelt es sich um weltliche, die Praxis beeinträchtigende Anliegen. Um die Reinheit unserer Praxis zu bewahren, sollten wir unbedingt sicherstellen, dass es nicht zu derartigen Beeinträchtigungen kommt.

Wie Sie sehen, können Sie den Lo-djong-Unterweisungen eindringliche Instruktionen für die Umwandlung des Geistes entnehmen, die Ihnen wirkliche Denkanstöße vermitteln. Zum Beispiel gibt es da auch folgende Passage:

> Möge ich erfreut sein, wenn mich jemand tadelt, und möge ich keinen Gefallen daran finden, wenn mich jemand lobt. Falls ich mich nämlich an Lob erfreue, vergrößert das gleich meine Überheblichkeit, meinen Stolz und meine Selbstgefälligkeit. Finde ich hingegen an Kritik Gefallen, so öffnet mir das wenigstens die Augen für meine Unzulänglichkeiten.

Wahrlich eine beeindruckende Gesinnung!

Bis jetzt war von jenen Formen der Bodhichitta-Praxis die Rede, bei denen wir das so genannte «konventionelle Bodhichitta» entwickeln, jene altruistische Geisteshaltung also, mit der wir zum Wohl aller empfindenden Wesen nach vollkommener Erleuchtung streben. Die beiden letzten Zeilen der Acht Strophen betreffen hingegen die Praxis, mit der wir das so genannte «letztendliche Bodhichitta» entwickeln, die Einsicht in die letztendliche Natur der Wirklichkeit.

Weisheit hervorzubringen ist Teil des – von den sechs befreienden Qualitäten verkörperten – Bodhisattva-Ideals. Und zugleich gibt es, wie wir bereits sahen, auf einer allgemeineren Ebene die beiden Hauptaspekte des buddhistischen Weges, Methode und Weisheit. Beide sind in der Definition von Erleuchtung als «Nicht-Dualität von vollendeter Form und vollendeter Weisheit» enthalten. Die Weisheits- oder Einsichtspraxis bezieht sich auf die Vollendung der Weisheit, die Praxis der geschickt eingesetzten Mittel oder Methoden auf die Vollendung der Form.

Den buddhistischen Weg erläutert man üblicherweise unter Bezugnahme auf das, was man als die Grundlage, den Weg und die Frucht bezeichnet: Zunächst gehen wir, um die grundlegende Natur der Wirklichkeit zu erfassen, von zwei Wirklichkeitsebenen aus, nämlich von der konventionellen Wahrheit und der letztendlichen Wahrheit. Das ist die Grundlage. Zweitens nehmen dann – auf dem eigentlichen Weg – Schritt für Schritt die Meditation und die gesamte spirituelle Praxis in Form von Methode und Weisheit greifbare Gestalt an. Zu guter Letzt trägt der spirituelle Weg Früchte, indem man die Nicht-Dualität von vollendeter Form und vollendeter Weisheit verwirklicht.

Die beiden letzten Zeilen lauten:

Und möge ich, indem ich alle Dinge als Illusion erkenne, an nichts haften und von den Fesseln frei sein.

Diese Worte verweisen auf die Praxis zur Entwicklung von

Einsicht in die Natur der Wirklichkeit. Doch offenbar zeigen sie uns, etwas vordergründiger betrachtet, auch eine Möglichkeit, auf welche Weise wir uns im Anschluss an die Meditation auf die Welt beziehen können. In den Dharma-Belehrungen zur letztendlichen Natur der Wirklichkeit werden nämlich zwei wichtige Phasen unterschieden: einerseits die Meditationsphase als solche, bei der Sie sitzend in einsgerichteter Leerheits-Meditation verweilen; andererseits die Zeit im Anschluss an die Meditation, während derer Sie sich aktiv in der – wie man so sagt – realen Welt betätigen.

Diese beiden Zeilen hier beziehen sich also unmittelbar auf unsere aus der Leerheits-Meditation sich ergebenden Verhaltensweisen in der Welt. Daher spricht der Text von der Einsicht in die trugbildhafte, illusionsgleiche Natur der Wirklichkeit. So nimmt man nämlich die Dinge wahr, wenn man sich im Anschluss an die einsgerichtete Leerheits-Meditation vom Meditationskissen erhebt und anderen Aktivitäten nachgeht.

Meines Erachtens machen diese beiden Zeilen etwas sehr Wichtiges deutlich. Denn manche Menschen haben die Vorstellung, die einsgerichtete Leerheits-Meditation während der Meditationssitzung sei das, worauf es tatsächlich ankomme. Der Frage nach der praktischen Umsetzung dieser Erfahrung in den Phasen nach der Meditation schenken sie hingegen erheblich weniger Aufmerksamkeit. Meiner Ansicht nach kommt der Nachmeditationsphase jedoch sehr große Bedeutung zu.

Denn was bezweckt eigentlich die Meditation über die letztendliche Natur der Wirklichkeit? Sie soll sicherstellen, dass Sie sich nicht von den Erscheinungen an der Nase herumführen lassen und sich über die Kluft zwischen dem Anschein, in dem sich die Dinge Ihnen zeigen, und ihrem tatsächlichen Sein im Klaren sind. Darin liegt der ganze Sinn und Zweck dieser Meditation. Die Phänomene der Erscheinungswelt sind, wie uns der Buddhismus erklärt, vielfach trügerisch. Mit einem vertieften Wirklichkeitsverständnis können Sie über die Erscheinungen hinausgehen und sich auf eine weit angemessenere, wirkungsvollere und realistischere Art und Weise auf die Welt beziehen.

Des Öfteren führe ich als Beispiel den Umgang an, den wir mit unseren Nachbarn pflegen sollten. Stellen Sie sich vor, Sie würden in einem problematischen Stadtviertel leben, in dem nachbarschaftliche Beziehungen kaum möglich sind. Statt überhaupt keine Notiz von den Nachbarn zu nehmen, ist es aber besser, trotzdem Kontakte zu ihnen zu knüpfen. Dabei hängt ein möglichst intelligentes Vorgehen von der Fähigkeit ab, die Leute richtig einzuschätzen. Ist zum Beispiel Ihr unmittelbarer Nachbar ein sehr fähiger Mensch, dann wird es zu Ihrem Vorteil sein, wenn Sie freundlich zu ihm sind und sich mit ihm unterhalten. Sind Sie sich aber zugleich darüber im Klaren, dass es sich bei dem Betreffenden auch um einen ziemlich gerissenen Zeitgenossen handelt, so ist das ein außerordentlich wertvolles Wissen. Sie können dann eine herzliche Beziehung aufrechterhalten und zugleich darauf achten, dass er Sie nicht über den Tisch zieht. Verfügen Sie über ein vertieftes Wirklichkeitsverständnis, so können Sie, wenn Sie in der Nachmeditation Ihren Außenweltaktivitäten nachgehen, in ganz ähnlicher Weise eine weit angemessenere und realistischere Beziehung zu den Menschen und Dingen pflegen.

Wenn es im Text heißt, man solle sämtliche Phänomene als Illusion betrachten, so ist damit gemeint, dass die illusionsgleiche Natur der Dinge erst wahrnehmbar wird, nachdem man sich vom Anhaften an die Vorstellung frei gemacht hat, die Phänomene seien unabhängige, für sich allein existierende Gebilde. Sobald es Ihnen gelungen ist, sich von solchem Anhaften frei zu machen, wird sich die Wahrnehmung der illusionsgleichen Natur sämtlicher Phänomene ganz spontan einstellen. Bei allem, was sich Ihnen zeigt, wird Ihnen auf Grund Ihrer Meditation bewusst sein, dass es zwar so scheint, als besäßen die Dinge eine unabhängige, objektive Existenz, dies in Wahrheit aber nicht zutrifft. Ihnen wird klar sein, dass die Dinge so real und beständig, wie es den Anschein hat, nicht sind. Der Ausdruck «Illusion» weist also darauf hin, dass Ihre Wahrnehmung der Dinge und deren tatsächliche Beschaffenheit beträchtlich voneinander abweichen.

Den Erleuchtungsgeist
Hervorbringen

Wer seiner Hochachtung vor den spirituellen Idealen der «Acht Strophen zur Umwandlung des Geistes» Ausdruck verleihen möchte, kann die folgenden Strophen rezitieren, um den Erleuchtungsgeist hervorzubringen. Praktizierende Buddhisten sollten dies ebenfalls tun sowie über die Bedeutung der Worte nachsinnen und dabei versuchen, ihre altruistische Haltung zu stärken und ihr Mitgefühl zu vergrößern. Wenn Sie eine andere Religion ausüben, können Sie auf die spirituellen Lehren der eigenen Überlieferung zurückgreifen, mit denen Sie im Streben nach dem Ideal der Selbstlosigkeit altruistische Gedanken entwickeln.

Mit dem Wunsch, sämtliche Wesen zu befreien,
werde ich bis zum Erreichen der vollständigen Erleuchtung
stets zum Buddha, zum Dharma und zum Sangha
Zuflucht nehmen.

Beflügelt von Weisheit und Mitgefühl,
bringe ich heute, in Gegenwart der Buddhas,
die Gesinnung hervor,
zum Wohl aller empfindenden Wesen vollkommen zu
erwachen.

Solange der unermessliche Raum Bestand hat
und solange es noch empfindende Wesen gibt,
möge auch ich ausharren,
um das Leid aus der Welt zu verbannen.

Ich fasse zusammen: Für alle, die sich wie ich als Schüler des Buddha betrachten, gilt, dass wir so viel praktizieren sollten, wie wir nur können. Den Angehörigen anderer Religionen möchte ich nahe legen: «Bitte gehen Sie aufrichtig und von ganzem Herzen *Ihrer* Religion nach.» Und wenn Sie sich zu keinem Glauben bekennen, möchte ich Sie um eines bitten: Versuchen Sie, herzlich zu sein. Versuchen Sie, Ihr Leben im Geist von Mitgefühl und Warmherzigkeit zu führen. Denn diese Gesinnung bringt uns Glück. Das ist der Grund meiner Bitte. Wie ich bereits sagte, kommt die Fürsorge, die Sie anderen zuteil werden lassen, *Ihnen* zugute.

Anhang I

Der Text der Acht Strophen zur Umwandlung des Geistes

von Geshe Langri Thangpa

Da ich fest entschlossen bin, das höchste
* Ziel,*
das sogar das wunscherfüllende Juwel an
* Wert übertrifft,*
zum Wohl aller empfindenden Wesen zu
* erreichen,*
mögen mir diese stets lieb und teuer sein.

བདག་ནི་སེམས་ཅན་ཐམས་ཅད་ལ།
ཡིད་བཞིན་ནོར་བུ་ལས་ལྷག་པའི།
དོན་མཆོག་སྒྲུབ་པའི་བསམ་པ་ཡིས།
རྟག་ཏུ་གཅེས་པར་འཛིན་པར་ཤོག

Möge ich, wann immer ich mit anderen
* zu tun habe,*
mich als den Geringsten von allen
* betrachten*
und den anderen von ganzem Herzen
und voller Respekt höchste Wertschätzung
* erweisen.*

གང་དུ་སུ་དང་འགྲོགས་པའི་ཚེ།
བདག་ཉིད་ཀུན་ལས་དམན་པར་བལྟ།
གཞན་ལ་བསམ་པ་ཐག་པ་ཡིས།
མཆོག་ཏུ་གཅེས་པར་འཛིན་པར་ཤོག

Möge ich bei allem, was ich tue, den eige-
* nen Geist gründlich untersuchen und,*
sobald Gedanken und Emotionen
* aufkommen,*
die den Geist trüben und dadurch mich
* und andere gefährden,*
ihnen entschlossen ins Auge schauen und
* entgegentreten.*

སྤྱོད་ལམ་ཀུན་ཏུ་རང་རྒྱུད་ལ།
རྟོག་ཅིང་ཉོན་མོངས་སྐྱེས་མ་ཐག
བདག་གཞན་མ་རུངས་བྱེད་པས་ན།
བཙན་ཐབས་གདོང་ནས་བསྒྲག་པར་ཤོག

Wenn ich Wesen mit unfreundlichem
* Charakter sehe,*
die von herzlosen Handlungen und von
* Leid belastet sind,*
mögen sie mir so lieb und teuer sein, als
* hätte ich einen kostbaren Schatz*
* entdeckt!*
Denn nur selten sind sie zu finden.

རང་བཞིན་ངན་པའི་སེམས་ཅན་ནི།
སྡིག་སྒྲུབ་དྲག་པོས་ནོན་མཐོང་ཚེ།
རིན་ཆེན་གཏེར་དང་འཕྲད་པ་བཞིན།
རྙེད་པར་དཀའ་བའི་གཅེས་འཛིན་ཤོག

~ 138 ~

Möge ich, wenn andere mich aus
Eifersucht schlecht behandeln,
indem sie mich beschimpfen, schmähen
und verspotten,
die Niederlage auf mich nehmen
und die anderen triumphieren lassen.

བདག་ལ་གཞན་གྱིས་ཕྲག་དོག་གིས། །
གཤེ་སྐུར་འཁོས་འེ་རེ་གཡས་པའི། །
རྒྱུ་ཁ་གཞན་ལ་འཕུལ་བར་ཤོག །

Selbst wenn mich jemand, dem ich
geholfen
oder in den ich große Hoffnungen gesetzt
habe,
auf äußerst verletzende Art und Weise
behandelt,
will ich ihn gleichwohl als meinen
wahren Lehrer betrachten.

གང་ལ་བདག་གིས་ཕན་བཏགས་པའི། །
རེ་བ་ཆེ་བ་གང་ཞིག་གིས། །
ཤིན་ཏུ་མི་རིགས་གནོད་བྱེད་ནའང་། །
བཤེས་གཉེན་དམ་པར་བལྟ་བར་ཤོག །

Kurzum, möge ich all meinen Müttern
jede nur mögliche Unterstützung und
Freude geben, direkt und indirekt.
Möge ich jeden Schmerz und jedes Leid
meiner Mütter
stillschweigend auf mich nehmen.

མདོར་ན་དངོས་དང་བརྒྱུད་པ་ཡིས། །
ཕན་བདེ་མ་རྣམས་ཀུན་ལ་འབུལ། །
མ་ཡི་གནོད་དང་སྡུག་བསྔལ་ཀུན། །
གསང་བས་བདག་ལ་ལེན་པར་ཤོག །

Möge all dies von Verfälschungen
durch die Makel der acht weltlichen
Anliegen frei bleiben.
Und möge ich, indem ich alle Dinge als
Illusion erkenne,
an nichts haften und von den Fesseln frei
sein.

དེ་དག་ཀུན་ཀྱང་ཆོས་བརྒྱད་ཀྱི། །
རྟོག་པའི་དྲི་མས་མ་སྦགས་ཤིང་། །
ཆོས་ཀུན་སྒྱུ་མར་ཤེས་པའི་བློས། །
ཞེན་མེད་འཆིང་བ་ལས་གྲོལ་ཤོག །

Ethische Maßstäbe
für das neue Jahrtausend

(Öffentlicher Vortrag vom 10. Mai 1999
in der Royal Albert Hall, London)

Eure Heiligkeit, meine sehr geehrten Damen und Herren! Es bewegt mich und ist eine große Ehre für mich, bei dieser Gelegenheit die Begrüßungsansprache halten zu dürfen. Eure Heiligkeit, in Großbritannien betrachtet man Sie als einen begnadeten Lehrer und, wenn ich das so sagen darf, als einen Freund. Heute Abend sind Sie von Ihren Freunden und Bewunderern umgeben. Ihr Lebenslauf ist der eines großen spirituellen Lehrers unserer Epoche. Und wie bei anderen großen spirituellen Lehrern dieses Zeitalters, Mahatma Gandhi etwa, war Ihr Leben nicht nur ein spirituelles Leben, sondern es war unausweichlich mit dem Lauf der Geschichte und den Leiden Ihres Volkes verknüpft. Davor haben wir in Großbritannien allergrößten Respekt. Ihnen gehört unsere besondere Sympathie und Bewunderung.

In Ihrem Leben und ebenso in dem Ihres Volkes wird für uns eine – in der modernen Welt ziemlich einzigartige – Verbindung von Mut und Mitgefühl erkennbar. Sie haben Brücken geschlagen, Brücken der internationalen Verständigung, Brücken zwischen den Weltreligionen. Ich halte es für ein Qualitätsmerkmal Ihrer Lehrtätigkeit, dass Sie die völlig unverfälschte und authentische Bewahrung der eigenen religiösen Überlieferung stets mit großem, liebevollem Verständnis für die anderen religiösen Traditionen der Welt verbinden konnten.

Die Welt befindet sich in einer sehr schwierigen Ära, in der uns offenbar wieder Kriege und Unruhen drohen. Wir alle wissen um die verzweifelte Lage des tibetischen Volkes, ebenso um all das Leid, das die Menschen in Jugoslawien, speziell im Kosovo, erleben. In den Blickpunkt Ihres jüngsten Buches haben Sie eine Idee gerückt, für deren Verwirklichung Sie sich auch schon öffentlich ausgesprochen haben: die Schaffung von Friedenszonen in jenen Bereichen der Welt, die das größte Konflikt- und Gefahrenpotenzial aufweisen. Und so begrüßen wir Sie vor allem als einen Botschafter, der den Frieden als geeigneten Weg zur Lösung der Weltprobleme ansieht. Insbesondere wissen wir zu würdigen, dass Ihre spirituelle und ethische Lehre die untrüglichen Zeichen der Wahrheit aufweist – Bescheidenheit, Menschlichkeit, Beharrlichkeit und Mitgefühl. Als Botschafter des Friedens und als spirituellen Lehrer heißen wir Sie heute Abend voller Dankbarkeit bei uns willkommen.

Auf diese Begrüßungsworte von Lord Rees-Mogg,
dem ehemaligen Herausgeber der Times,
folgt die Rede Seiner Heiligkeit des Dalai Lama

Brüder und Schwestern! Für mich ist es eine große Ehre, heute bei Ihnen sein und mit Ihnen reden zu dürfen. Lassen Sie mich diese Gelegenheit nutzen, dem Tibet House Trust für die Organisation dieser Veranstaltung meinen Dank auszusprechen. Ferner möchte ich den Mitgliedern der tibetischen Gemeinde hier in London für das Lied danken, das mich an meine tibetische Heimat erinnert hat. Mein ganz besonders herzlicher Dank gilt Lord Rees-Mogg für die wunderbare Begrüßung. Er hat mich so sehr gelobt, dass es mir so vorkommt, als stünde ich gar nicht mehr mit beiden Beinen fest auf dem Boden. Das meine ich durchaus auch im buchstäblichen Sinn. Dieser Stuhl ist so hoch, dass meine Füße den Boden nicht mehr berühren! Darf ich mir daher meine Schuhe ausziehen und mit gekreuzten Beinen sitzen? – O ja, so ist es bequemer.

In dieser Halle habe ich schon einmal einen öffentlichen Vortrag gehalten. Damals war, wie ich mich sehr lebhaft erinnere, einer meiner ältesten und engsten Freunde anwesend, der inzwischen verstorbene Dekan von Westminster, Edward Carpenter. Stets empfand ich größten Respekt und Bewunderung für ihn. Nun befindet er sich nicht mehr unter uns. Doch nach wie vor denke ich an ihn, so wie ich an andere alte Freunde denke, die nicht mehr da sind. Eine herzliche Empfindung bewegt mich dann, und das ist etwas von dauerhaftem Bestand.

Hieran wird deutlich, wie die Zeit vergeht. Jahr um Jahr, Monat um Monat, Tag um Tag, Stunde für Stunde, Minute für Minute, ja, selbst Sekunde für Sekunde. Unablässig verstreicht die Zeit, niemals steht sie still. Keine Macht kann ihr Einhalt gebieten, sie entzieht sich unserer Kontrolle. Nur eines können wir tun: sie entweder auf eine angemessene und fruchtbare Art und Weise nutzen oder aber sie auf eine negative und destruktive Art und Weise vertun. Wir haben die Wahl; die Entscheidung darüber liegt in unserer Hand.

Nutzen Sie Ihre Zeit also gut: Das halte ich für sehr bedeutsam. Nach meiner Überzeugung soll uns das Leben Glück bringen. Negative Handlungen führen stets zu Schmerz und Leid, ein aufbauendes, schöpferisches Handeln hingegen bringt uns Freude und Glück.

Manch einer unter Ihnen ist heute Abend vielleicht aus reiner Neugierde hier. Das ist schön so. Andere sind mit einer gewissen Erwartung hierher gekommen. Erwarten Sie aber bitte nicht zu viel! Manche Menschen kommen mit großen Hoffnungen zu mir, etwa um einen Wunder wirkenden Segen von mir zu erhalten oder Ähnliches; andere betrachten mich als einen Heiler. Oft erkläre ich den Betreffenden, wenn ich wirklich ein guter Heiler wäre, hätte ich nicht diese Pickel, die jetzt bei mir zum Vorschein gekommen sind. Nicht einmal mich selbst kann ich heilen. Sie sollten also besser keine unrealistischen Erwartungen hegen. Ich möchte klarstellen, dass wir alle Menschen sind und einander gleichen. Ich bin niemand Besonderes.

Alle Menschen sind im Wesentlichen gleich: Ob wir nun aus dem Osten oder aus dem Westen, aus dem Süden oder aus dem Norden stammen, reich oder arm, gebildet oder ungebildet sind, diese oder jene Religionszugehörigkeit haben, gläubig oder ungläubig sind – als Menschen sind wir im Grunde gleich. Emotional, geistig, körperlich sind wir gleich. In körperlicher Hinsicht gibt es vielleicht ein paar kleine

Unterschiede: die Form der Nase, die Haarfarbe und dergleichen mehr. Doch diese sind von untergeordneter Bedeutung. Im Grunde sind wir alle gleich.

Und wir verfügen über das gleiche Potenzial – das Potenzial, den eigenen Geist und unsere Einstellungen zu wandeln. Sind Sie zum Beispiel heute unglücklich, weil Sie Angst vor etwas haben, eifersüchtig oder wütend sind, so werden all diese Reaktionen Sie noch unglücklicher machen. Andererseits könnte es so sein, dass Sie heute vielleicht froh und glücklich sind; und es mag so aussehen, als bräuchten Sie sich keinerlei Sorgen zu machen. Dennoch könnte sich letzten Endes herausstellen, dass die Dinge gar nicht gut gelaufen sind, weil einige unerwartete Umstände eingetreten sind. Bei jedem von uns ist im Grunde das gleiche Potenzial vorhanden, positive wie negative Erfahrungen zu machen. Aber wir haben auch das gleiche Potenzial, eine Wandlung unserer Einstellungen herbeizuführen.

Es ist sehr wichtig, zu wissen, dass jeder von uns sich zu einem besseren, glücklicheren Menschen wandeln kann. Dies halte ich für eine bedeutsame Erkenntnis.

Wie ich festgestellt habe, befinden sich manche Menschen angesichts des Jahrtausendwechsels in heller Aufregung. Es herrscht eine Art Erwartungshaltung, das nächste Jahrtausend werde uns eine neue, glücklichere Epoche bescheren. So zu denken halte ich für einen Fehler. Allein durch den äußeren Jahrtausendwechsel wird sich, solange nicht in unseren Herzen ein neues Jahrtausend anbricht, kaum etwas verändern: Nach wie vor werden die gleichen Tage und Nächte da sein, die gleiche Sonne, der gleiche Mond, und so weiter. Als ich mich im letzten Dezember zu einem Kurzbesuch in Paris aufhielt, gab es am Eiffelturm eine Art Jahrtausend-Countdown, bei dem man die im zu Ende gehenden Jahrhundert noch verbleibenden Tage gezählt hat. Solche Dinge zeugen von einem gewissen Enthusiasmus, einer allgemein verbreiteten Vorfreude auf das bevorstehende Jahrhundert. Schließlich habe ich mich aber gefragt: «Inwiefern wird das neue Jahrhundert tatsächlich anders sein?» – Nun, das Leben wird, glaube ich, einfach weitergehen wie gehabt.

Meiner Ansicht nach kommt es ganz entscheidend darauf an, den eigenen Geist umzuwandeln – in der Weise, dass wir uns eine neue Denkweise und eine neue Sicht der Dinge zu Eigen machen. Ich meine, wir sollten uns bemühen, eine neue Innenwelt zu entwickeln. Über Jahrhunderte und über viele Generationen hinweg hat die Menschheit auf der Basis von Wissenschaft und Technik alle Anstrengungen in eine, im Sinn von größeren materiellen Annehmlichkeiten verstandene, gesellschaftliche Weiterentwicklung investiert.

Zwar hat die ganze Welt, in erster Linie allerdings die westlichen Länder, einen sehr hohen Lebensstandard erreicht. Aber man steht weiterhin vor einer Fülle von Problemen, besonders in Bezug auf Gewalt und Kriminalität. In England, den USA und anderen Ländern gibt es Jugendliche, die – sogar ohne besonderen Grund – andere Menschen erschießen. Und auf der Ebene der internationalen Beziehungen habe ich häufig den Eindruck, dass Staaten, die der Freiheit und Demokratie einen außerordentlich hohen Rang zusprechen – selbst die USA und westeuropäische Länder –, in Wirklichkeit immer noch sehr stark auf Gewaltanwendung setzen.

Meiner Meinung nach handelt es sich hierbei um ein veraltetes Konzept. In der Vergangenheit waren die nationalen Interessen mehr oder weniger unabhängig voneinander, und die Gemeinschaften der Menschen waren, bis hin zu den dörflichen Verbänden, weitgehend autark. Unter solchen Voraussetzungen ergaben Vorstellungen von Krieg und militärischen Aktionen einen gewissen Sinn: Wenn unsere Seite den Sieg davonträgt, ist der Feind dort drüben geschlagen.

Heutzutage haben wir es mit einer vollkommen anderen Situation zu tun. Nicht nur die Dörfer, sondern auch die Nationen und selbst die Kontinente sind, vor allem in wirtschaftlicher Hinsicht, hochgradig voneinander abhängig. Vernichtet man unter diesen Umständen seinen Nachbarn, so läuft das in Wahrheit auf Selbstzerstörung hinaus. Daher können wir, glaube ich, heutzutage sagen, dass die alten Denkmuster und die mit ihnen einhergehenden politischen Vorgehensweisen überholt sind.

Außerdem wirft unser Lebensstil manche Frage auf. Jedes Jahr aufs Neue erwarten wir ein volkswirtschaftliches Wachstum. Wenn jedoch das Wirtschaftswachstum stagniert, hält man das für eine Fehlentwicklung. Früher oder später werden wir an einen Punkt gelangen, an dem wir so nicht mehr weitermachen können. Schauen Sie sich die Kluft zwischen den Reichen und Armen an. Global gesehen leben die Bewohner des Nordens im Überfluss. Doch die Bewohner des Südens sind genauso Menschen wie die im Norden; und obwohl wir alle denselben Planeten bewohnen, sind die Grundbedürfnisse dieser Menschen nicht gedeckt – zum Teil verhungern sie sogar.

Mitunter frage ich mich allerdings, ob ihr Hunger nicht auch durch eigene Fehler verursacht wird. Denn manche dieser Länder stecken ihren Reichtum in die Rüstung statt in die Landwirtschaft und Ähnliches. Das kann Mangel und Hungersnot zur Folge haben.

Und auch innerhalb eines sehr reichen Landes wie den USA besteht eine enorme Kluft. Einige amerikanische Freunde haben mir unlängst erklärt, noch vor einigen Jahren habe es wohl gerade 15 Milliardäre gegeben, heutzutage jedoch seien es weitaus mehr. Die Anzahl der Milliardäre hat zugenommen, aber die Armen bleiben nach wie vor arm, und in manchen Fällen sind sie noch ärmer geworden.

Diese gewaltige Kluft zwischen Arm und Reich auf der globalen Ebene wie im nationalen Rahmen ist nicht nur unmoralisch, sondern sie verursacht auch praktische Probleme. Deshalb müssen wir uns damit auseinander setzen und den Lebensstandard des Südens und der armen Bevölkerung insgesamt verbessern.

Vor mehr als 15 Jahren habe ich hierzulande eine Universität besucht und bei dieser Gelegenheit ein Gespräch mit einem Experten für Umweltfragen und natürliche Ressourcen geführt. Es sei eine offene Frage, so erklärte er mir, ob die natürlichen Ressourcen unseres Planeten ausreichen würden, den Lebensstandard im Süden auf jenes Niveau zu heben, dessen sich die Bewohner des Nordens heutzutage erfreuen.

Würde man das Armutsproblem durch eine Steigerung des Lebensstandards in den Ländern des Südens ebenso wie bei den unteren Schichten in den wohlhabenderen Ländern zu lösen versuchen, so könnte das zur Folge haben, dass wir über kurz oder lang an die Grenzen unserer natürlichen Ressourcen stoßen würden. Dieser Ansatz geht davon aus, dass unser Lebensstil nicht in Frage gestellt werden darf. Ich bin allerdings der Meinung, dass er ganz im Gegenteil einer kritischen Überprüfung unterzogen werden muss.

Die Umweltverschmutzung ist ein weiteres schwer wiegendes Problem. Hier und da ein paar Tagungen zu dieser Thematik abzuhalten finde ich ganz schön, notwendig ist aber die wirkungsvolle Umsetzung konkreter Maßnahmen – was, so meine ich, ebenfalls mit unserem Lebensstil in Zusammenhang steht.

In den USA und auch hier in London sehen wir zum Beispiel Unmengen von Autos auf den Straßen. Viele befördern jedoch lediglich eine Person. Offenbar hat fast jeder ein Auto, und in manchen Familien gibt es, glaube ich, zwei oder drei Fahrzeuge. Nun übertragen Sie das doch bitte einmal auf die chinesische Bevölkerung von mehr als zwei Milliarden Menschen und auf die indische von etwa 900 Millionen. Allein in diesen beiden Ländern gäbe es diesem Modell zufolge rund drei Milliarden Autos. Das wäre sehr schwer zu verkraften.

So liegen die Dinge. Manchmal habe ich das Gefühl, dass nicht nur ich, sondern Millionen von Menschen die gegenwärtige Situation als bedenklich empfinden, sie jedoch normalerweise kein Gehör finden. Vielleicht spreche ich also im

Namen dieser Millionen von Menschen, die stumm bleiben oder deren Stimme zu schwach ist.

Doch selbst wenn wir sehen, wie es tatsächlich um uns steht, tut sich unglücklicherweise zwischen unserer Wahrnehmung der Situation und unseren Einstellungen eine Kluft auf. Ich glaube, die Wirklichkeit hat sich verändert. Aber unser Denken bleibt das Gleiche, und allein daraus entstehen schon viele Schwierigkeiten.

Ein weiterer Aspekt: Manche Probleme, mit denen wir etwa im Kosovo, in Nordirland oder in Indonesien konfrontiert sind, haben sich nicht über Nacht ergeben, sondern über Jahrzehnte und in manchen Fällen über viele Generationen hinweg entwickelt. Ich habe den Eindruck, dass man ihnen im Anfangsstadium, als noch eine größere Chance zu einer Änderung und Normalisierung der Situation bestand, keine allzu große Aufmerksamkeit geschenkt hat. Man hat das Problem ignoriert und womöglich gedacht, so schwer wiege es nicht; oder die unmittelbar Betroffenen sollten sich doch bitte schön selbst darum kümmern. Als die Dinge dann später einen kritischen Punkt erreichten, war es zu spät.

Sind menschliche Emotionen erst einmal außer Kontrolle geraten, lassen sie sich nur noch außerordentlich schwer in den Griff bekommen. Wenn sich die Ursachen und Bedingungen über einen langen Zeitraum uneingeschränkt entwickeln konnten, erreichen sie nach buddhistischem Verständnis einen Punkt, an dem sich der Prozess nicht mehr von Grund auf umkehren lässt.

Viele unserer Probleme nehmen meines Erachtens diesen Verlauf. Zu Anfang bestünde zumindest die Chance, sie zu verringern oder zu bereinigen; oder man könnte wenigstens vermeiden, dass aus dem Problem eine Krise wird. Doch in diesem Stadium versäumen wir es, uns den Schwierigkeiten zu stellen.

Mit der Tibet-Frage verhält es sich meiner Meinung nach ebenso. Mir scheint, dass sich die Tibeter in den zwanziger, dreißiger und vierziger Jahren sehr wenige Gedanken über die Zukunft ihres Landes gemacht haben. So nahmen die Dinge ihren Lauf. Wenn sich eine Angelegenheit zu einer wirklichen Krise entwickelt, gerät die Situation explosionsartig außer Kontrolle, und es ist zu spät.

Gewaltanwendung kann selbstverständlich nur ein letztes Mittel sein. Ein Aspekt der Gewalt ist ihre Unvorhersehbarkeit. Selbst wenn Sie ursprünglich die Absicht haben, Gewalt nur begrenzt einzusetzen, sind die Auswirkungen der Gewalt, nachdem Sie erst einmal zu diesem Mittel gegriffen haben, unabsehbar. Gewalt führt stets zu unerwarteten Konsequenzen und zu Gegengewalt. Genau das geschieht offenbar im Kosovo. Gewalt ist also im Allgemeinen das falsche Mittel; ganz besonders, meine ich, in der heutigen Zeit.

Die gegenwärtigen Ereignisse können wir als konkrete Hinweise darauf betrachten, dass mit unserer generellen Einstellung etwas nicht in Ordnung ist. Indem wir die richtige Denkweise entwickeln, lassen sich meines Erachtens manche dieser Probleme verringern, und andere könnten sogar bereinigt werden. Viele unserer Schwierigkeiten haben wir im Wesentlichen selbst heraufbeschworen, sie sind unsere Geschöpfe. Würde die Menschheit also angemessener, mit größerer Weit- und Übersicht handeln, könnte sich die Situation ziemlich rasch ändern.

Auf Grund der in diesem Jahrhundert gemachten Erfahrungen und der aus ihnen gewonnenen Einsichten sollten wir zu einer Neubewertung unserer Einstellungen gelangen und uns verstärkt um eine Verbesserung der Situation bemühen. Dann wird das nächste Jahrhundert möglicherweise ein glücklicheres, friedlicheres und freundlicheres sein. Das ist meine feste Überzeugung. Zumindest im Vergleich zum Anfang des Jahrhunderts hat sich, glaube ich, unsere Einstellung bis heute allgemein zum Positiven gewandelt. Manche Anzeichen sprechen dafür, dass sich unser geistiger Horizont vergrößert. Man könnte sagen, die Menschheit wird reifer.

Wenn wir also weiterhin unermüdliche Anstrengungen in dieser Richtung unternehmen, vor allem mit Hilfe von Bildung und Erziehung, könnte das kommende Jahrtausend wohl friedlicher werden. Um dies zu ermöglichen, müssen wir entsprechend vorbereitet sein. Ist dies der Fall, so gibt es meiner Meinung nach gute Gründe, dem neuen Jahrtausend mit freudiger Erwartung entgegenzusehen. Solange sich jedoch *in uns* nichts ändert, ist jede Hoffnung, das neue Jahr als solches werde eine große Veränderung mit sich bringen, unrealistisch.

Die Zukunft der Menschheit liegt in den Händen der jetzigen Generation. Sich über das Kommende Gedanken zu machen fällt daher in die Verantwortung jedes Einzelnen, und ich versuche meinen Zuhörern stets nahe zu bringen, wie viel von *unserem* Denken und Verhalten abhängt.

Die Wichtigkeit von Bildung und Erziehung habe ich gerade angesprochen. Hier sind große Fortschritte gemacht worden. Doch es herrscht offenbar die Ansicht vor, das Entscheidende sei das intellektuelle Vermögen, mit anderen Worten, ein gut ausgebildeter Verstand. Der Entwicklung der Gesamtperson – in dem Sinn, dass der oder die Betreffende zu einem guten Menschen wird oder Herzenswärme erwirbt – schenkt man zu wenig Aufmerksamkeit.

Eine eigenständige Bildungsinstitution wurde, glaube ich, in Europa vor rund tausend Jahren geschaffen, und zu jener Zeit kümmerten sich Kirche und Familie um die ethische Erziehung und die Entwicklung menschlicher Wärme. Auf diese Weise waren Bildung und Erziehung recht ausgewogen. Doch im Lauf der Zeit verlor die Kirche an Einfluss, und das Familienleben wurde mitunter so instabil oder problematisch, dass man diesen wichtigen Aspekt der Kindeserziehung zu vernachlässigen begann. Allem Anschein nach fühlt sich keine Institution mehr in besonderer Weise der Herzensbildung verpflichtet.

Bildung oder Wissen lässt sich aus meiner Sicht mit einem Werkzeug vergleichen. Von der Motivation jedes Einzelnen hängt es ab, ob er dieses Werkzeug schöpferisch oder zerstörerisch einsetzt. Ein Bildungssystem, das nichts weiter als findige Köpfe hervorbringt, läuft Gefahr, nur noch zusätzliche Probleme zu produzieren, etwa, wenn die Betreffenden gar zu einfallsreich und mit einer allzu lebhaften Vorstellungskraft ausgestattet sind.

Hat ein Kind mit einem gut ausgebildeten Intellekt warmherzige, verantwortungsbewusste Eltern, die sich teilnahmsvoll um es kümmern, ihm zugleich aber auch Disziplin vermitteln, so kann dies eine sehr förderliche Kombination sein. Künftig wird sich, wie ich hoffe, das Augenmerk stärker darauf richten, dass sich menschliche Wärme und Liebe entwickeln können. Vom Kindergarten bis zur Universität sollten ethische Fragen thematisiert werden, die das ganze Leben eines Menschen betreffen, einschließlich seiner Rolle in Gesellschaft und Familie. Ansonsten kann es keine glücklichen Menschen, keine glücklichen Familien und somit auch keine glückliche Gesellschaft geben.

Die Eltern tragen diesbezüglich eine besondere Verantwortung. Und daher hoffe ich, es wird in Zukunft eine geringere Anzahl von Scheidungen geben, vor allem unter Ehepaaren mit Kindern. Gerade für die Kinder ist es von großer Bedeutung, dass die Eltern auf Dauer glücklich verheiratet sind. Auf diese Weise wird das von den Eltern gelebte Vorbild den Kindern den Wert von Liebe, Güte und Herzenswärme vor Augen führen.

Ich finde es, wie ich noch hinzufügen möchte, sehr hilfreich, Kinder mit dem Gedanken vertraut zu machen, dass für jegliche Konfliktsituation der Dialog die beste und zweckmäßigste Lösung bietet und nicht die Gewalt. Gewalt bedeutet, dass die eine Seite den Sieg davonträgt, die andere hingegen die Niederlage erleidet. Das entspricht jedoch nicht, ich erwähnte es bereits, den Realitäten der heutigen Welt. Gäbe es klar umrissene Interessen und wäre mein Interesse unabhängig von Ihren Interessen, dann würden die Vorstellungen von Sieg und Niederlage einen gewissen Sinn machen. Aber unsere jeweiligen Interessen sind heutzutage derart eng miteinander verflochten, dass es so nicht funktioniert. Die einzige Lösung bietet daher ein Kompromiss, nach Möglichkeit zu gleichen Teilen oder eventuell im Verhältnis 60 zu 40!

Da keine Seite eine Chance hat, aus dem Konflikt als eindeutiger Gewinner hervorzugehen, ist der Dialog vollkommen unverzichtbar. Um ein Problem zu lösen, müssen Sie verstehen, worauf es Ihren Kontrahenten ankommt, dieser Interessenlage nach besten Kräften Rechnung tragen und in diesem Licht nach einer Lösung suchen. Man sollte die Schülerinnen und Schüler schon von klein auf an den Dialoggedanken heranführen und ihnen beibringen, über unterschiedliche Auffassungen zu diskutieren. So üben sie sich in kontroverser Argumentation und machen sich allmählich den Dialoggedanken zu Eigen. Der Dialog ist die angemessene, die effektive, die realitätsgerechte Methode.

Innerhalb der menschlichen Gesellschaft werden stets Meinungsverschiedenheiten und Konflikte herrschen. Auch bei uns selbst können wir manchmal feststellen, dass wir am Morgen felsenfest von einer bestimmten Sache überzeugt, jedoch bereits am Nachmittag ganz anderer Ansicht sind. Ein heftiger Konflikt, der in solch einer Situation droht, ist mitunter außerordentlich problematisch, kann schlimmstenfalls gar zum Selbstmord führen.

Angesichts zweier widerstreitender Vorstellungen tun Sie daher gut daran, das Für und Wider beider Seiten zu überdenken, eine Synthese zu finden und so die Widersprüche und Konflikte zu überwinden. In jedem Menschen existieren, glaube ich, gegenläufige Kräfte. Wenn wir sie aber einander annähern und einen Ausgleich zwischen ihnen finden können, sind wir einen Schritt vorangekommen. Kluges Abwägen der kontroversen Auffassungen und die Überwindung der Widersprüche inspiriert uns überdies zu neuen Ideen.

So betrachtet, sind Widersprüche als solche nichts Schlechtes. Tatsächlich können sie zur Grundlage einer Weiterentwicklung werden. Nur wenn sie außer Kontrolle geraten und sich in Form von Gewalt ausdrücken, werden sie destruktiv.

Hat sich ein Schüler oder eine Schülerin das so Erlernte erst einmal zur guten Gewohnheit gemacht, wird er oder sie, statt Gewalt anzuwenden beziehungsweise sich mit handgreiflichen Mitteln auseinander zu setzen, bei jedem Konflikt sogleich auf die Möglichkeiten des Dialogs zurückgreifen. Gelegentlich mache ich meine Zuhörer darauf aufmerksam, dass solch ein Kind, wenn es von der Schule nach Hause kommt und einen Streit seiner Eltern erlebt, diese womöglich davon überzeugen wird, dass sie etwas falsch machen.

Durch solch eine Schulung wird meines Erachtens uns allen eines Tages klar sein, dass wir Menschen soziale Wesen sind und zur Verwirklichung unserer individuellen Interessen auf die Gesellschaft angewiesen sind. Darum sollte jeder von uns ein warmherziger, empfindsamer Mensch sein; und ein guter Bürger. Das verschafft uns innere Ruhe und Frieden – individuellen Frieden, Frieden innerhalb der Familie und Frieden auf der gesellschaftlichen Ebene. Treten Differenzen auf, so reden wir darüber und teilen einander in friedlicher und freundlicher Weise unsere Befürchtungen mit.

Die hier zu entwickelnde Haltung umfasst menschliche Grundwerte – Anteilnahme, Verantwortungsbewusstsein, die Bereitschaft zu verzeihen. Wir können auch sagen: Es geht um spirituelle Grundwerte. Ob Sie in einem religiösen Sinn gläubig sind, ist eine Frage Ihrer persönlichen Entscheidung. Doch unabhängig davon, ob wir uns zu einem Glauben bekennen oder nicht, können wir, als Angehörige der menschlichen Gemeinschaft, ohne diese positiven Eigenschaften nicht glücklich sein. Unser eigentlicher Lebenszweck besteht aber darin, Glück zu finden. Daher macht es keinen Sinn, wenn wir genau jene Dinge vernachlässigen, die unmittelbar dazu beitragen, uns glücklich zu machen.

Bei diesen menschlichen Grundwerten können wir, da sie keinen religiösen Glauben voraussetzen, von einer «säkularen

Ethik» sprechen. «Säkular» beinhaltet in diesem Fall nicht unbedingt eine Ablehnung von Religion, sondern besagt lediglich, dass der Glaube die persönliche Angelegenheit jedes Einzelnen ist.

Meiner Ansicht nach müssen wir eine verstärkte Anstrengung unternehmen, diesen menschlichen Grundwerten den gebührenden Platz in unserem Leben einzuräumen. Vieles spricht dafür, diese Eigenschaften zu entwickeln. Und ich bin von Grund auf davon überzeugt, dass der Mensch seiner Natur nach gütig ist.

Das kann man selbstverständlich auch anders sehen. So erklären manche Leute, der Mensch sei seiner Natur nach aggressiv. Betrachtet man aber unser Leben als Ganzes, von der Geburt bis zum Tod, so spielt Aggression meines Erachtens nur gelegentlich eine Rolle. Andererseits hat, so meine ich, unser Leben sehr viel mit Liebe und Zuneigung zu tun.

Zum Beispiel sind wir so beschaffen, dass sogar unsere Körperzellen besser arbeiten, wenn der Geist zur Ruhe kommt, während ein aufgewühlter Geist normalerweise ein physisches Ungleichgewicht zur Folge hat. Spielt aber Geistesruhe eine derart wichtige Rolle für unsere Gesundheit, so bedeutet dies, dass Geistesruhe und die körperlichen Funktionsabläufe miteinander harmonieren. Also dürfen wir sagen, dass die menschliche Natur mehr zu Güte und Wohlwollen neigt.

Unser Körper prädestiniert uns auch nicht zum Kämpfen. Er ist viel eher so konstruiert, dass wir jemanden in den Arm nehmen können. Schauen Sie sich Ihre Hände an: Wären sie zum Schlagen bestimmt, so wären sie, glaube ich, hart wie ein Huf.

Noch stärker fällt ins Gewicht, dass nach Aussagen von Medizinern die Wochen unmittelbar im Anschluss an die Geburt von ganz entscheidender Bedeutung für unsere Entwicklung sind, da das Gehirn in dieser Phase sehr rasch wächst. Und während dieser Zeit ist der Körperkontakt – mit der Mutter oder einer anderen Person – einer der Ausschlag gebenden Faktoren für ein gesundes Gehirnwachstum. Das macht deutlich, dass wir durch die Zuneigung anderer Menschen auch physisch aufblühen. All diese Reaktionen zeigen, wie sehr wir der Liebe und Güte bedürfen.

Entsprechendes stellen wir im geistigen Bereich fest: Je mehr Mitgefühl wir aufbringen, umso tieferen inneren Frieden verspüren wir. Denn denken wir an andere, so wird unser Geist offener und weiter, und umso weniger wichtig erscheinen uns unsere persönlichen Probleme. Denken Sie hingegen nur «ich, ich, ich», so werden Sie engstirnig, und Ihr geistiger Horizont schrumpft. Schon winzige Probleme kommen Ihnen dann riesengroß vor. Wenn Sie sich über das Wohl der anderen Gedanken machen und an ihrem Leid Anteil nehmen, kann es zwar durchaus passieren, dass Sie sich in dem Moment beunruhigt oder unglücklich fühlen. Aber das braucht Sie nicht zu beirren. Nehmen Sie nämlich am Leid der anderen Anteil, so verfügen Sie tief in Ihrem Herzen über Mut, Selbstvertrauen und Stärke. Leiden Sie hingegen unter unwillkürlich auftretenden Problemen, werden Sie von dieser leidvollen Erfahrung überwältigt. Der Unterschied ist also erheblich.

Ich selber habe die Erfahrung gemacht: Je mehr ich über Mitgefühl meditiere und an die ungeheure Zahl leidender Wesen denke, umso mehr verspüre ich eine unermessliche Kraft in mir. Die Probleme, die ich vielleicht hie und da habe, spielen dann keine so große Rolle mehr.

Je größer unsere innere Stärke und unser Selbstvertrauen sind, umso weniger Furcht und Zweifel haben wir; und dadurch werden wir ganz automatisch offener. Wir können dann mit unseren menschlichen Brüdern und Schwestern viel leichter kommunizieren. Sind *Sie* nämlich offen, werden andere entsprechend reagieren. Tragen wir hingegen Furcht, Hass oder Zweifel in uns, so bleibt die Tür zu unserem Herzen verschlossen. Wir begegnen dann jedem Menschen mit Misstrauen.

Die Erfahrung von Misstrauen und Zweifel ist meiner Ansicht nach besonders verhängnisvoll, weil sie den Eindruck vermittelt, die anderen Menschen träten einem mit dem gleichen Misstrauen und Zweifel gegenüber. Infolgedessen geht man immer mehr auf Distanz. Am Ende stehen Einsamkeit und Frustration.

Deshalb finde ich Mitgefühl und Rücksichtnahme auf andere besonders wichtig. Allerdings gibt es da ein Problem: Wenn von Mitgefühl, Liebe und Verzeihung die Rede ist, meinen viele Leute, es handle sich um etwas Religiöses. Aus diesem Grund neigen Menschen, die an Religion nicht sonderlich interessiert sind, dazu, ihnen keine rechte Beachtung zu schenken. Das halte ich für falsch. Wir alle müssen diesen Werten unsere Aufmerksamkeit zuwenden. Das ist eine Möglichkeit, uns für das nächste Jahrtausend bereit zu machen.

Mir liegt daran, einen weiteren wichtigen Punkt anzusprechen: Harmonie und Verständigung zwischen den Religionen sind von ganz entscheidender Bedeutung. Einzig und allein der Mensch kann sich zu seinem religiösen Glauben bekennen, im Tierreich gibt es nichts Entsprechendes. Richtig gehandhabt, kann der Glaube wertvoll sein. Falsch eingesetzt, kann er hingegen katastrophale Konsequenzen haben. Der Grund dafür sind die menschlichen Emotionen, mit denen es die Religion zu tun hat. Und manchmal können unsere Emotionen auf Abwege geraten. Dann bleibt kein Raum mehr für Vernunft, und wir werden zu Fanatikern oder Fundamentalisten. Aus diesem Grund müssen wir verstärkte Anstrengungen unternehmen, um zu gewährleisten, dass alle großen Weltreligionen das menschliche Potenzial auch tatsächlich zum Wohl der Menschheit nutzen – das heißt, es in den Dienst der Menschheit und der Erhaltung des Planeten stellen –, und zugleich versuchen, die im Namen der Religion ausgetragenen Konflikte zu reduzieren.

Seit einigen Jahren arbeite ich mit verschiedenen Methoden an der Verwirklichung dieses Ziels, und einige meiner spirituellen Brüder und Schwestern aus anderen Religionen beteiligen sich nun daran.

Es finden Tagungen mit Gelehrten der verschiedenen Überlieferungen statt, um die Unterschiede und die Gemeinsamkeiten dieser Traditionen auf einem vorwiegend akademischen Niveau zu erörtern.

Die zweite Möglichkeit ist die Durchführung von Treffen für erfahrene Praktizierende der verschiedenen Religionen, bei denen sich die Beteiligten über ihre inneren Erfahrungen austauschen können. Dieser Erfahrungsaustausch erweist sich als außerordentlich wirkungsvoll und hilft uns, den Wert der anderen Überlieferungen ermessen zu können. Ich zum Beispiel habe so den verstorbenen Thomas Merton und andere hingebungsvoll praktizierende Menschen getroffen, und die Begegnung mit ihnen hat mir für den Wert anderer Überlieferungen die Augen geöffnet. Diese Methode leistet einen wesentlichen Beitrag zur Förderung von wechselseitigem Verständnis und Respekt.

Als Drittes empfehle ich multireligiöse Pilgerreisen: Eine aus Angehörigen unterschiedlicher religiöser Traditionen bestehende Gruppe pilgert zu den heiligen Stätten dieser Traditionen. Nach Möglichkeit betet man gemeinsam. Falls das nicht möglich sein sollte, sitzt man einfach in stiller Meditation beieinander. Solche Pilgerreisen sind von unschätzbarem Wert und ermöglichen profunde Erfahrungen. Ich hatte die Gelegenheit, Lourdes in Südfrankreich zu besuchen – nicht als Tourist, sondern als Pilger. Ich habe von dem Segenswasser getrunken und vor der Marienstatue gestanden. Dabei ging mir durch den Sinn, dass genau hier, an dieser Stelle, Millionen von Menschen der erbetene Segen beziehungsweise der angestrebte innere Frieden zuteil wird. Während ich die Marienstatue betrachtete, stieg eine Empfindung tiefer Bewunderung und Wertschätzung für den christlichen Glauben in mir empor –

einfach, weil er Millionen Menschen solch großen Segen bringt. Sicher, das Christentum hat eine andere philosophische Lehre. Doch darum geht es in diesem Zusammenhang gar nicht. Sein praktischer Wert ist völlig offenkundig, wenn man sieht, wie es den Menschen hilft und welchen Segen es ihnen erweist.

Für mich war es also von großem Vorteil, durch die Atmosphäre dieser heiligen Stätten einen tieferen Eindruck von anderen Religionen zu gewinnen.

Eine gewisse Zahl von Christen ist bereits auf meine Anregung eingegangen: Im vergangenen Jahr kamen einige meiner christlichen Brüder und Schwestern nach Bodhgaya und verbrachten dort ein paar Tage. Wir hatten einen buddhistisch-christlichen Dialog, und jeden Morgen saßen wir alle unter dem Bodhi-Baum zusammen, um zu meditieren. Ich glaube, das war ein historisches Ereignis. Seit der Geburt des Buddha vor mehr als 2500 Jahren und seit Christi Geburt vor etwa 2000 Jahren hat es meines Wissens zum ersten Mal eine derartige Zusammenkunft gegeben.

Nun zur vierten Methode – der Durchführung von Treffen wie jenem, das Mitte der achtziger Jahre im italienischen Assisi stattfand. Führende Vertreter verschiedener religiöser Traditionen versammeln sich, um vom selben Podium aus ihre Gebete zu sprechen und sich mit ein paar Worten zu einem bestimmten Thema zu äußern (in Assisi ging es um die Umwelt). Zu sehen, dass wichtige Repräsentanten ihrer Konfession an solch einem freundschaftlich geführten Gedankenaustausch teilnehmen und dieselbe Friedensbotschaft verkünden wie die Repräsentanten der anderen Religionen, kann für Millionen Anhänger der dort vertretenen Religionen ein richtungweisendes Ereignis sein.

Diese vier Methoden sollten wir uns also zunutze machen, um die Harmonie zwischen den Religionen zu fördern.

Noch über einen weiteren Punkt möchte ich heute Abend

mit Ihnen sprechen. Es war bereits davon die Rede, dass wir am Geschick unserer Mitmenschen mehr Anteil nehmen, uns ihren Problemen zuwenden und, soweit vorhanden, Hass möglichst weitgehend abbauen sollten. Wir dürfen dem Hass keinen Raum geben – weder in uns selbst noch in der Familie, noch in der Gesellschaft oder der Menschheit insgesamt. Denn er ist der Inbegriff der Zerstörung, macht unseren Frieden und unser Glück zunichte. Was wir benötigen, ist eine Art innere Abrüstung. Durch innere Abrüstung und ein Bewusstsein für die Auswirkungen eines Krieges wird militärisches Denken, militärisches Handeln und militärische Destruktion zum Auslaufmodell.

Auf dieser Grundlage müssen wir gründlich über die Möglichkeiten zur Verkleinerung der Waffenarsenale nachdenken. Als Erstes sollten wir die Atomwaffen in Angriff nehmen. Glücklicherweise gibt es ja bereits Programme zur Demontage von Atomsprengköpfen, das ist ein wunderbarer Anfang. Solche Programme sollten allerdings nicht nur die Anzahl der Atomsprengköpfe begrenzen, sondern ich halte es für wichtig, dass sie auf die vollständige Zerstörung der Atomwaffen ausgerichtet sind. Es bedarf also noch weiterer Bemühungen. Schließlich sollte dann die Welt Schritt für Schritt von den etablierten militärischen Strukturen befreit werden, bis sie vollständig entmilitarisiert ist.

Das sollte meines Erachtens unser langfristiges Ziel sein. Ich verlange nicht, dass von einem Tag auf den anderen abgerüstet wird. In manchen Fällen kann das durchaus mehrere Generationen in Anspruch nehmen. Doch sollten wir stets dieses letztendliche Ziel im Auge behalten.

Selbstverständlich wird es immer einige Menschen mit finsteren Absichten geben. Um sie in Schach zu halten, wird man eine internationale Truppe benötigen. Etwas in der Art haben wir bereits, die internationale Friedenstruppe der Vereinten Nationen. Zunächst sollten wir auf regionaler Basis eine begrenzte Militärstreitmacht etablieren, die aus einer geringen Zahl hoch qualifizierter und schlagkräftiger mobiler

Einheiten besteht und der Kontrolle sämtlicher Mitgliedstaaten unterliegt. In Streitfällen könnte diese Truppe die Situation wieder ins Lot bringen. Kein Land hingegen würde mehr über eine eigenständige Militärstreitmacht verfügen. Ein Beispiel dafür ist Costa Rica, das seit mehr als 50 Jahren einen entmilitarisierten Status innehat.

Auf diese Weise können meiner Ansicht nach innere und äußere Abrüstung Hand in Hand gehen.

Der erste Vorteil, den uns das bringt, ist die Einsparung von viel Geld. Jede Bombe und jeder Marschflugkörper kosten enorme Summen. Bei einem über Wochen oder Monate anhaltenden Konflikt geht es also um Riesenbeträge. Statt unser Geld zu verschwenden und es für die Zerstörung einzusetzen, sollten wir es lieber für konstruktive Zwecke nutzen. Stellen Sie sich doch einmal vor, diese Beträge flössen in den Bau von Krankenhäusern oder Schulen in finanziell schlechter gestellten Ländern – welchen Segen das brächte!

Nicht nur könnten wir viel Geld sparen, es ließe sich zugleich gewissen verderblichen Fehlentwicklungen Einhalt gebieten. Manchmal sage ich im Scherz, die Fabriken, in denen man Panzer herstellt, könnten stattdessen ohne weiteres Bulldozer produzieren. Ebenso könnten sich dann die im militärischen Bereich tätigen Wissenschaftler, die sich bisher mit all ihren Kenntnissen und ihrem fabelhaften Verstand darauf konzentriert haben, ein Instrumentarium der Zerstörung zu entwickeln, einem konstruktiveren Betätigungsfeld zuwenden. Dafür hätten sie dann tatsächlich auch eine Gehaltsverdoppelung verdient!

In diese Richtung müssen unsere Überlegungen gehen, wenn uns das Wohlergehen und das Glück künftiger Generationen am Herzen liegen. Statt all der äußerlichen Aufgeregtheit angesichts des Jahrtausendwechsels sollte man meiner Meinung nach die Gedanken lieber nach innen richten und der eigenen Vorbereitung auf das neue Jahrtausend mehr Aufmerksamkeit schenken. Ich denke, auf Grund meines Alters bin ich ein Kind dieses Jahrhunderts und bereit, über kurz oder lang Lebewohl zu sagen. Die jüngere Generation wird die Kraft sein, die das nächste Jahrhundert prägt. Die jüngeren Leute unter Ihnen sollten also ganz gewissenhaft darüber nachdenken, frei von Emotionen und ohne Anhaftung, mit einigem Abstand und in langfristiger Perspektive. Das ist sehr, sehr wichtig.

Damit bin ich am Ende meines Vortrags angelangt. Falls nach Ihrem Dafürhalten der eine oder andere Punkt eingehendere Überlegungen und weitere Nachforschungen verdient, so stellen Sie diese bitte an. Haben Sie hingegen den Eindruck gewonnen, die von mir angesprochenen Sachverhalte seien nicht sonderlich wichtig oder schlicht Unfug, dann denken Sie nicht weiter darüber nach, und lassen Sie das alles einfach hier in der Halle zurück! Ich danke Ihnen sehr.

FRAGEN AN DEN DALAI LAMA

Frage: Eure Heiligkeit, der Kosovo-Krieg macht mir schwer zu schaffen. Einerseits möchte ich dem Töten in keiner Weise Vorschub leisten, aber ebenso wenig bin ich der Meinung, der Westen sollte vor dieser Situation die Augen verschließen. Auch denke ich dabei an die Situation in Tibet, Burma, Ruanda und anderen Regionen. Tragen wir keine Verantwortung für das Handeln unserer Regierungen? Was können wir jetzt tun, um das Leid der Serben und der Kosovo-Albaner zu lindern?

Dalai Lama: Während der letzten Wochen hat man mir vielfach diese Frage gestellt. Vor allem Menschen aus der betroffenen Region haben mich erwartungsvoll um Rat gefragt. Doch ich bin kein Experte. Mein Wissensstand basiert auf Zeitungsartikeln und solchen Dingen. Der Umstand, dass sich westliche Organisationen wie die NATO über die Menschenrechtsverletzungen im Kosovo und das Leid der dortigen Bevölkerung besorgt zeigen, ist selbstverständlich sehr zu begrüßen; ebenso ihr Versuch, diese entsetzliche so genannte Politik der ethnischen Säuberung zu stoppen. Manche aus der älteren Generation erinnern sich noch deutlich an den abscheulichen Völkermord, den die Nazis während des Zweiten Weltkriegs verübt haben. Daher halte ich die Reaktion dieser Staaten für sehr ermutigend und sehr gut. Die Methode, deren sie sich bedienen, ist allerdings Gewalt. Aus den zuvor in groben Zügen dargelegten Gründen bin ich eigentlich stets gegen den Einsatz von Gewalt.

Welche Alternative gibt es? Welche andere Möglichkeit haben wir, um unter den gegebenen Umständen dafür zu sorgen, dass dieses menschliche Elend aufhört? Ich weiß es nicht. Eine sehr schwierige Situation. Meiner Ansicht nach ist es, wie ich das vorhin bereits angesprochen habe, jetzt zu spät. Ich denke, tatsächlich haben wir zu einem früheren Zeitpunkt eine Chance verpasst. Nun sollten wir auf Grund der Erfahrungen im Kosovo künftig anderen möglichen Krisenregionen größere Aufmerksamkeit schenken und zu vorbeugenden Maßnahmen greifen.

Frage: Eure Heiligkeit, bedingt durch fehlende Arbeitsplätze und einen Mangel an innerem Gleichgewicht, lastet auf den jungen Menschen im Westen ein immer größerer Konkurrenzdruck. Wodurch kann sich das ändern? Meinen Sie nicht, dass wir schon zu weit gegangen sind und es schwierig ist, den Prozess umzukehren?
Dalai Lama: Ich denke nicht, dass es in dem zuvor angesprochenen Sinn zu spät ist. Wenn wir als Gesellschaft versuchen, unsere Grundanschauungen zu ändern und uns mit diesen Fragen auseinander zu setzen, und wenn die Gesellschaft sich insgesamt ändert, so ist da nach wie vor ein Potenzial vorhanden. Ungeachtet aller Schwierigkeiten sollten wir unsere Hoffnung und Zuversicht nicht verlieren. Es ist

ganz, ganz wichtig, optimistisch zu bleiben. Haben Sie hingegen von Anfang an das Gefühl, nichts ausrichten zu können, weil es Schwierigkeiten gibt, dann wird diese resignative, pessimistische Einstellung zur eigentlichen Ursache des Scheiterns. Es kommt nicht darauf an, ob Sie Ihr Ziel in kurzer Zeit – oder erst im Lauf dieses Lebens – erreichen: Ein Ziel, das es wirklich wert ist, sollten Sie in jedem Fall anstreben. Wenigstens verspüren Sie dann später kein Bedauern. Gibt man sich hingegen geschlagen, weil man auf Schwierigkeiten stößt, wird einem das letzten Endes stets Leid tun.

Frage: Befürworten Sie die Idee eines universalen Glaubens, einer universalen Religion?
Dalai Lama: Was verstehen Sie darunter? Dass alle Religionen zu einer einzigen Religion werden sollten? – Mitunter bezeichne ich das Mitgefühl als die «universale Religion». Falls Sie diesen Begriff jedoch dahingehend verstehen, dass wir aus manchen Vorstellungen aus der einen und manchen Vorstellungen aus einer anderen Religion eine universale Religion schaffen sollten, so halte ich das für töricht.

Viel besser ist es, die Eigenheiten der unterschiedlichen religiösen Überlieferungen zu bewahren, damit jede Religion einzigartig bleibt. So können sie dank der Vielfalt ihrer philosophischen Anschauungen und Traditionen den Menschen in all ihrer Verschiedenartigkeit gerecht werden.

Diese Verschiedenheit der Menschen und ihre unterschiedlichen geistigen Dispositionen sind meiner Ansicht nach nämlich der eigentliche Grund für das Entstehen so vieler verschiedener Religionen. Eine einzige Religion könnte niemals alle Menschen zufrieden stellen. Daher ist es viel besser, eine Reihe von Überlieferungen zu haben.

Zugleich gibt es, wie gesagt, bestimmte fundamentale Unterschiede zwischen den Religionen. Kürzlich war ich an einer argentinischen Universität zu einem Gedankenaustausch mit einem Bischof, einem Naturwissenschaftler und einem Mediziner eingeladen. Als ich an die Reihe kam, ein paar Worte zu sagen, erwähnte ich ganz beiläufig, dass es im Buddhismus den Begriff eines «Schöpfers» nicht gibt. Daher heißt es, das Gesetz von Ursache und Wirkung, das Kausalgesetz, sei anfanglos.

Später brachte der Bischof seine Verwunderung darüber zum Ausdruck. Denn er hatte angenommen, auch der Buddhismus akzeptiere einen Schöpfergott. «Oh, dann gibt es für einen Dialog zwischen dem Christentum und dem Buddhismus keine Grundlage», erklärte er jovial.

Ich antwortete ihm, dass zwar durchaus grundlegende Unterschiede bestünden. Zugleich aber gebe es Übereinstimmungen in der religiösen Praxis, ebenso eine gemeinsame Botschaft, etwa die von Mitgefühl, Liebe, Vergebung und Zufriedenheit. Beide Religionen streben also das gleiche Ziel an. Für manche Menschen ist der Begriff des Schöpfers ganz wesentlich, weil dieser Schöpfer voller Mitgefühl und Erbarmen ist und genau dieses Leben, das wir haben, von Ihm geschaffen wurde. Diese Vorstellung vermittelt uns ein Empfinden von inniger Vertrautheit mit Gott, und wir haben das Gefühl, um Gottes Wunsch zu erfüllen, sollten *wir* mitfühlend sein.

Ein wahrer Christ sollte seinen Mitmenschen wahre Liebe und wahres Mitgefühl erweisen. Darin besteht die wirkliche Bedeutung von Gottesliebe. Wenn jemand sich nicht bemüht, seinen Mitmenschen gegenüber Liebe und Mitgefühl an den Tag zu legen, andererseits aber erklärt: «Gott ist groß!», halte ich das für Heuchelei. Um ein guter Christ zu sein, sollten Sie Mitgefühl, Liebe und Vergebung praktizieren, und – wie es in der Bibel heißt – wenn jemand Sie schlägt, sollten Sie ihm die andere Wange hinhalten. Das bezeichnen wir im Buddhismus als Übung in Geduld. Zwischen Christentum und Buddhismus gibt es also zahlreiche Übereinstimmungen.

Betrachten wir den Sinn und Zweck dieser unterschiedlichen Überlieferungen, so können wir erkennen, dass sie den gleichen Zweck verfolgen und sich auf dasselbe Potenzial beziehen. Der buddhistische und jainistische Ansatz – die

Vorstellung, dass es keinen Schöpfer gibt und man für alles selbst die Verantwortung trägt – ist lediglich bei bestimmten Menschen wirkungsvoller. Wir könnten also sagen, jede Religion bringt auf ihre unverwechselbar eigene Art gute Menschen hervor.

Frage: Eure Heiligkeit, manchmal sieht es so aus, als seien die Entscheidungen, die wir treffen, durch Ursachen und Bedingungen vorherbestimmt. Inwieweit können wir wirklich frei entscheiden?
Dalai Lama: Wenn wir über das Gesetz von Ursache und Wirkung sprechen, so ist von einem universalen, für sämtliche Dinge und Geschehnisse geltenden Prinzip die Rede. Alles entsteht infolge von Ursachen und Bedingungen.

Im spezifischen Erfahrungskontext der Lebewesen sprechen wir über eine Situation, in der die Handlungen des Individuums Bestandteile eines Kausalprozesses sind. Individuen sind bewusste Wesen mit einer gewissen Entscheidungsfreiheit in Bezug auf die Handlungen, die sie ausführen. Das lässt sich aus dem Umstand folgern, dass sie aktiv handelnd in den Kausalprozess eingreifen.

Aber noch auf einer weiteren Ebene verfügen wir über Entscheidungsmöglichkeiten: Obgleich man vielleicht eine bestimmte Handlung vollzogen und diese einen gewissen Ereignisablauf in Gang gebracht hat, kann diese ursächlich wirkende Handlung alleine noch nicht das volle Resultat hervorbringen. Entsprechende Umstände und weitere zusätzliche Bedingungen sind notwendig, um die Ursache zu aktivieren und sie vollständig zum Tragen kommen zu lassen. Insofern haben wir eine gewisse Freiheit, diese Umstände und Bedingungen zu steuern oder zumindest zu beeinflussen.

Frage: Eure Heiligkeit, das Thema Todesstrafe wird immer wieder diskutiert. Wie stehen Sie zu dieser Frage?
Dalai Lama: Ich bin gegen die Todesstrafe. Ich finde sie

schlimm, und sie macht mich sehr traurig. Wenn ich Fotos verurteilter Strafgefangener sehe, die zum Dasein in der Todeszelle verdammt sind, fühle ich mich immer sehr aufgewühlt und unwohl.

Wissen Sie, eigentlich gibt es bei jedem Menschen getrübte Emotionen. Das Potenzial für Hass oder ungestüme Wut ist in jedem von uns vorhanden. Auf Grund der jeweiligen Umstände ist diesen armen Menschen etwas widerfahren, auf das sie mit derartigen Emotionen reagiert haben. Aber ich glaube, sie haben zugleich auch ein positives Potenzial in sich. Deshalb sollte man Straftätern nicht mit innerer Ablehnung begegnen, sondern ihnen wieder einen Platz in der Gesellschaft einräumen und ihnen die Chance geben, sich zu bessern und zu ändern.

Ich habe gehört, dass die indischen Behörden für die Häftlinge des Gefängnisses von Tihar einen Meditationskurs eingerichtet haben – mit großartigen Resultaten. Viele dieser Menschen haben sich wirklich verändert. Auch in den USA versuchen ehrenamtliche Mitarbeiter, Häftlinge durch ein spirituelles Schulungsangebot zu fördern. Amnesty International führt eine Kampagne für die totale Ächtung der Todesstrafe durch, und ich gehöre zu den Unterzeichnern.

Frage: Woher kommt die Wut?
Dalai Lama (lacht): Ich glaube, jede Weltanschauung liefert dafür eine andere Erklärung. Aus buddhistischer Sicht ist Wut im Wesentlichen auf Unwissenheit zurückzuführen. Genauer gesagt, geht Wut auf Anhaftung zurück: Je mehr wir an etwas hängen, mit desto größerer Wahrscheinlichkeit werden wir wütend.

Wut ist, wie andere negative Emotionen, ein Aspekt unseres Geistes. Mitgefühl, Herzensgüte und Altruismus sind allerdings ebenfalls Aspekte unseres Geistes. Daher ist es wichtig, dass wir unsere Gedanken analysieren. Welche Gedanken sind von Nutzen? Welche Gedanken fügen uns Schaden zu? Bei solch einer Selbsterforschung stellen wir fest, dass manche Gedanken in Widerspruch zu anderen Gedanken stehen. So sind etwa Wut und Hass konträr zu Herzensgüte. Dann fragen wir uns nach dem Nutzen von Hass und dem Nutzen von Herzensgüte. Haben Sie den Eindruck, Herzensgüte sei von Nutzen, so können Sie, um etwas gegen Wut und Hass zu unternehmen, versuchen, größere Herzensgüte zu entwickeln. Wenn die Anzahl der entsprechenden Gedanken zunimmt, verringert sich die Anzahl der im Widerspruch dazu stehenden Gedanken. Darin besteht die Geistesschulung.

Ohne solch eine Geistesschulung hat jeder von uns positive und negative Gedanken, und beide sind gleich stark. Gewisse Umstände rufen negative, andere Umstände hingegen rufen positive Emotionen hervor. Indem wir eine bewusste Anstrengung unternehmen, können wir dieses Muster jedoch verändern. Das meinen wir mit «Umwandlung des Geistes»: eine Möglichkeit, uns zum Vorteil zu verändern.

Meiner Meinung nach werden Sie, ganz unabhängig davon, ob Sie ein religiös gläubiger Mensch sind oder nicht, umso glücklicher und gelassener sein, je mehr Herzensgüte Sie entwickeln. Sie werden dadurch eine gelassenere Grundeinstellung haben, und selbst wenn Sie eine schlechte Nachricht erhalten, wird diese Sie nicht so sehr aus der Fassung bringen. Es ist also sehr vorteilhaft, diese Einstellung zu haben. Falls Sie hingegen auf Grund von Hass oder gewissen negativen Gedanken, die Sie in sich tragen, vorwiegend unglücklich sind, wird Ihnen womöglich selbst eine gute Neuigkeit, die Ihnen zu Ohren kommt, noch zusätzliches Kopfzerbrechen bereiten.

Da wir alle das Verlangen haben, glücklich zu sein, lohnt es sich meiner Ansicht nach wirklich, über diese Fragen nachzudenken und sich seine Gedanken genau anzuschauen. Wir sollten versuchen, von unseren positiven Gedanken den bestmöglichen Gebrauch zu machen und unsere negativen Gedanken auf ein Minimum zu reduzieren. So schulen wir unseren Geist.

Ich glaube, für jeden von uns wäre es von Nutzen, solch ein kleines Experiment durchzuführen. Unabhängig davon, ob wir reich oder arm sind, ist der Verstand bei uns allen gleich beschaffen. Uns allen steht für diese Arbeit das gleiche Versuchslabor zur Verfügung – unser Kopf und unser Herz. Und dieses Experiment kostet rein gar nichts. Alles ist bereits da, in uns. Auch arme Leute, selbst Bettler, sind dazu imstande. Tatsächlich haben einige der größten Meister der Vergangenheit in Tibet als Bettler gelebt. Doch in ihrem Geist und in ihrem Herzen herrschten Reichtum und Überfluss.

GLOSSAR

Acht weltliche Anliegen: Streben nach Gewinn, Freude, Lob und Ruhm; Vermeidung von Verlust, Schmerz, Tadel und mangelnder Anerkennung bzw. schlechtem Ruf.

Analyse in sieben Punkten: Indem die Prasangika-Madhyamaka-Schule den Begriff des Selbst im Hinblick auf die ihm zugeschriebenen körperlichen und geistigen Faktoren analysiert, gelangt sie zu dem Schluss, dass solch ein Selbst nicht wirklich existiert. Im Rahmen dieser Analyse werden nacheinander sieben Möglichkeiten untersucht: 1. Das Selbst ist nicht mit seinen Bestandteilen identisch. 2. Das Selbst ist nichts anderes als seine Bestandteile. 3. Das Selbst ist nicht die Grundlage seiner Bestandteile. 4. Das Selbst ist seiner Natur nach nicht durch seine Bestandteile bedingt. 5. Dem Selbst kommen seiner Natur nach keine Bestandteile zu. 6. Das Selbst ist nicht die Form seiner Bestandteile. 7. Das Selbst ist nicht die Zusammensetzung seiner Bestandteile.

Anhäufungen → *Skandhas*

Bardo (tib.): Nachtod-Zwischenzustand.

Bedingtheit/bedingtes Entstehen: Zentrales Prinzip der buddhistischen Philosophie; bedingtes Entstehen besagt: Die Existenz alles Wirklichen ist notwendigerweise durch etwas anderes bedingt. Zwischen bedingtem Entstehen und Leerheit gibt es eine enge Verbindung. Nur dann nämlich stehen alle Dinge in einem kausalen Bedingungsverhältnis zueinander, wenn sie leer sind, also ohne einen nichtbedingten Wesenskern existieren.

Man kann drei – in zunehmendem Maße subtilere – Formen von Bedingtheit unterscheiden: 1. kausale Bedingtheit; hier ist ein Objekt (etwa ein Baum) notwendigerweise das Produkt bestimmter Ursachen und Bedingungen (etwa des Samens, des Bodens, des Sonnenlichts usw.). 2. das Bedingungsverhältnis von Teil und Ganzem; hier ist ein Objekt (zum Beispiel ein Auto) notwendigerweise durch eine Vielzahl von Einzelteilen und spezifischen Merkmalen bedingt (Reifen, Achsen, Motor usw.). 3. erkenntnismäßige Bedingtheit; hier kann man sagen, als Objekt existiere etwas nur, sofern ein Bewusstsein es als «x» im Unterschied zu «nicht-x» bestimmt. Siehe: *Kausalität; Leerheit.*

Bodhichitta (Skrt.): Das selbstlose Streben, zum Wohl aller Wesen erleuchtet zu werden.

Bodhisattva (Skrt.): Ein Praktizierender, der unvoreingenommenes Mitgefühl für alle empfindenden Wesen entwickelt hat und den Weg zu vollkommener Erleuchtung beschreitet; er oder sie macht es sich zur Verpflichtung, alle empfindenden Wesen zur vollständigen Erleuchtung zu führen. Siehe: *Bodhisattva-Ideal; Buddhaschaft.*

Bodhisattva-Ideal: Das Bodhisattva-Ideal beinhaltet die *sechs befreienden Qualitäten* (Paramitas), die der persönlichen Weiterentwicklung dienen, und die *vier Mittel*, deren Ziel die Weiterentwicklung der anderen ist.

Die *sechs befreienden Qualitäten* sind: 1. Freigebigkeit, 2. ethische Disziplin, 3. Geduld, 4. Ausdauer, 5. meditative Sammlung, 6. Weisheit.

Die *vier Mittel* sind: 1. geben, was dringend benötigt wird; 2. stets sanft reden; 3. anderen ein aufrichtiger Ratgeber sein; und 4. diese Grundsätze durch das eigene Beispiel veranschaulichen.

Buddha-Körper → *Kaya*

Buddha-Natur → *Tathagatagarbha*

Buddhaschaft: Zustand der vollkommenen Erleuchtung; in ihm sind sämtliche Geistestrübungen bereinigt, alle Begabungen und Vorzüge voll entfaltet und zur Vollendung gebracht. «Buddha» ist ein allgemein anwendbarer Begriff. So kann jeder bezeichnet werden, der vollkommene Erleuchtung erlangt hat. Wenn von einem Buddha die Rede ist, sollte man also wissen, ob der historische Buddha *Shakyamuni* oder ein voll erleuchteter Mensch gemeint ist. Siehe: *Kaya; Erleuchtung.*

Chandrakirti: Maßgeblicher Philosoph der Prasangika-Schule, einer von mehreren Schulrichtungen, die innerhalb des Madhyamaka entstanden sind. Chandrakirti lebte im sechsten Jahrhundert unserer Zeitrechnung in Indien.

Chittamatra (Skrt.): Eine der vier großen Schulrichtungen der buddhistischen Philosophie im alten Indien, die auf den indischen Heiligen und Gelehrten Asanga (4. Jh. n. Chr.) zurückgeht. Ihr wichtigster Lehrsatz besagt, sämtliche Phänomene seien eigentlich entweder rein geistige Vorgänge oder eine Ausweitung des Geistes. Häufig mit «Nur-Geist-Schule» übersetzt.

Dharma (Skrt.): Ein Begriff mit einer Fülle von Bedeutungen; vor allem aber bezeichnet er die Lehre des Buddha. Dharma meint dann sowohl den Zustand des Aufhörens von Leid als auch die Wege, die zu diesem Aufhören hinführen; ferner die

Übertragung maßgeblicher Texte und die Übertragungslinien der mündlichen Kommentare dazu, die den Weg zur Buddhaschaft darlegen.

Duhkha (Skrt.): Bezeichnet den fundamental unbefriedigenden und übergangshaften Charakter des Daseins, wird häufig mit «Leid» übersetzt und ist die erste Edle Wahrheit. Siehe: *Vier Edle Wahrheiten.*

Dzogchen (tib.): Wörtlich «große Vollendung»; die Dzogchen-Lehren gehören zum Bestand des Vajrayana, und ihr Hauptaugenmerk richtet sich auf die Verwirklichung des ursprünglichen Gewahrseins als Mittel, um Erleuchtung zu erlangen.

Erleuchtung: Bezeichnet im Buddhismus das vollständige geistige Erwachen eines Menschen. Der entsprechende tibetische Ausdruck *dschang-dschub* (Skrt.: *bodhi*) bedeutet wörtlich «jemand, der die Geistestrübungen geläutert und vollkommene Verwirklichung erreicht hat». Ein vollkommen erleuchteter Mensch wird Buddha genannt. Siehe: *Buddhaschaft; Kaya.*

Geistesschulung: Eine ganz wichtige Gruppe von Lehren und Übungen, die ausschließlich dem Zweck dienen, unser Mitgefühl und unsere altruistische Motivation zu verstärken. Ein Hauptmerkmal der Geistesschulung, tibetisch Lo-djong, sind die detaillierten Anweisungen zur Umwandlung widriger Umstände in günstige Bedingungen zur Intensivierung der spirituellen Praxis. Lo-djong hat sich seit dem elften Jahrhundert unserer Zeitrechnung in Tibet entwickelt.

Geistiges Bewusstsein: Im klassischen Buddhismus werden sechs Bewusstseinsarten unterschieden, nämlich der Sehsinn (das visuelle Bewusstsein), der Hörsinn (das auditive Bewusstsein), der Geruchssinn (das olfaktorische Bewusstsein), der Tastsinn (das taktile Bewusstsein), der Geschmackssinn (das gustative Bewusstsein) und das geistige Bewusstsein.

Gelug (tib.): Die reformierte Schule des tibetischen Buddhismus geht auf den großen Tsongkhapa (1357–1419) zurück. Zwar hat der Dalai Lama die Lehren aller vier Schulen des tibetischen Buddhismus studiert, in erster Linie aber wurde er in den Überlieferungen dieser Schule ausgebildet.

Guru: Dieser Ausdruck aus dem Sanskrit (tibetisch: Lama) bezeichnet einen spirituellen Ratgeber und Lehrer, der über solche spirituellen Qualifikationen verfügt, wie sie in den Schriften geschildert werden. Grundvoraussetzungen, die ein Guru auf jeden Fall mitbringen muss, sind: eine mitfühlende Haltung dem Schüler/der Schülerin gegenüber, innere Disziplin, ein hohes Maß an Gelassenheit und mehr Kenntnisse über den zu vermittelnden Gegenstand als der Schüler/die Schülerin.

Hinayana (Skrt.): Wörtlich «kleineres Fahrzeug»; dieser Ausdruck wird in erster Linie von Praktizierenden des Mahayana verwendet und bezeichnet diejenigen Buddhisten, die um der persönlichen Befreiung willen ihre Übungen verrichten – im Unterschied zur Bodhisattva-Motivation, *alle* empfindenden Wesen von Leid zu befreien. Ein Großteil der buddhistischen Gelehrten von heute sieht darin eine künstliche Unterteilung und in der Bezeichnung «kleineres Fahrzeug» eine gewisse Herabsetzung, besonders, wenn sie sich dem Weg der südlichen Schulen des Buddhismus (den auf Sri Lanka, in Thailand, Burma, Kambodscha, Indonesien und Vietnam vertretenen Überlieferungen der buddhistischen Lehre) verbunden fühlen, auf die dieser Ausdruck gewöhnlich angewendet wird.

Höchstes Yoga-Tantra: Die höchste Klasse des Tantra; es gibt vier Tantra-Kategorien, bei denen jeweils die äußere Praxis, die Visualisation, die inneren Yoga-Übungen und die Techniken zur Manifestation der drei Kayas unterschiedlich großes Gewicht erhalten. Siehe: *Kaya*.

Kagyü (tib.): Wörtlich «die mündliche Linie»; eine der vier großen Überlieferungslinien des tibetischen Buddhismus. Sie wurde von Marpa Lotsawa im elften Jahrhundert begründet und brachte den berühmten Yogi *Milarepa* hervor.

Karma (Skrt): Wörtlich «Handlungen»; physische, verbale, und geistige Handlungen und die im Geist durch solche Handlungen hervorgerufenen psychischen Prägungen und Tendenzen, die über aufeinander folgende Wiedergeburten hinweg im Geisteskontinuum fortbestehen. Solch ein karmisches Potenzial wird später aktiviert, wenn es auf die entsprechenden Umstände und Bedingungen trifft. Zwei Punkte sind an der Lehre vom Karma besonders hervorzuheben: 1. Man erfährt niemals die Auswirkung einer Handlung, die man nicht selbst ausgeführt hat. 2. Ist eine Handlung erst einmal vollzogen, so geht ihr Potenzial niemals verloren; es sei denn, man neutralisiert es durch geeignete Gegenmittel.

Kausalität: Das Kausalitätsprinzip spielt im buddhistischen Denken eine wichtige Rolle. In seinem praktischen Vorgehen bezieht sich der buddhistische Weg ausdrücklich auf kausale Erwägungen. Denn er basiert auf der Voraussetzung, dass dem Leid abzuhelfen ist, indem man seine Ursachen beseitigt.

Der unmittelbare Grund von Leid ist ungünstiges Karma: die negativen Prägungen, die im Geist zurückbleiben, wenn man entweder körperlich, mit Worten oder in Gedanken negative Handlungen ausführt. Solche Prägungen «reifen» später zu Erfahrungen heran, und man erfährt dann unerfreuliche Geisteszustände – das heißt, man leidet.

Ursachen von Leid sind des Weiteren jene Einstellungen und mentalen Gewohnheiten, die einen dazu bringen, negative Handlungen ausführen: an allererster Stelle Unwissenheit, unsere – gewohnheitsmäßig zum Tragen kommende – irrige Wahrnehmung, der zufolge die relative und veränderliche Wirklichkeit als etwas Feststehendes und Absolutes erscheint.

Unter einem mehr philosophischen Aspekt ist die Kausalität die offenkundigste Erscheinungsform der wechselseitigen Bedingtheit. Und wechselseitige kausale Bedingtheit dient häufig als Beispiel, um zu zeigen, dass alle Dinge sich notwendigerweise wechselseitig bedingen, notwendigerweise ohne jeden festen Wesenskern sind. Siehe: *Karma; Vier Edle Wahrheiten.*

Kaya: Das Sanskrit-Wort *kaya* bedeutet «Körper» im Sinn von «Verkörperung bestimmter Eigenschaften». Die vier Kayas sind: der Svabhavikakaya (der Buddha-Körper der vollkommen erleuchteten Natur), der Jnanakaya (der Buddha-Körper der vollkommenen Weisheit); der Sambhogakaya (der Buddha-Körper der vollkommenen Freude) und der Nirmanakaya (der Buddha-Körper der vollkommenen Ausstrahlung).

Häufiger werden die Merkmale der Buddhaschaft, der vollkommenen Erleuchtung, durch die drei Kayas beschrieben: den Dharmakaya (Wahrheitskörper), den Samboghakaya (Körper der vollkommenen Freude) und den Nirmanakaya (Emanations- oder Ausstrahlungskörper).

Leerheit: Ein philosophischer Schlüsselbegriff des Mahayana-Buddhismus. Die Lehre von der Leerheit geht auf das «Sutra von der Vervollkommnung der Weisheit» *(Prajnaparamita-Sutra)* zurück. Leerheit verweist darauf, dass weder Personen noch Sachen ein wirkliches Dasein zukommt. Man muss allerdings immer im Sinn behalten, dass Leerheit kein ontologischer Status ist, denn auch der Leerheit kommt kein wirkliches Dasein zu. Nagarjuna hat in seiner Schrift «Grundlegende Weisheit des Mittleren Weges» *(Mulamadhyamakakarika)* als Erster die im *Prajnaparamita-Sutra* angelegte Lehre in systematischer Weise ausformuliert. Siehe: *Nagarjuna; Nicht-Selbst.*

Leid (Skrt.: Duhkha; Pali: Dukkha): Bezeichnet im buddhistischen Kontext zwar auch die körperliche Empfindung von Schmerz, vor allem aber die leidvollen seelischen und emotionalen Erfahrungen. Darin sind auch die für viele weltlichen Erfahrungen so charakteristischen Gefühle von nicht enden wollender Langeweile, Unzufriedenheit und Überdruss enthalten. In den Schriften werden daher drei Arten oder Ebenen des Leids angesprochen: 1. das Leid des Leidens; damit ist all das gemeint, was wir normalerweise als leidvolle Erfahrungen bezeichnen, etwa ein tatsächlicher Schmerz; 2. das Leid der Veränderung; das heißt, alle Erfahrungen, die wir gemeinhin als angenehm betrachten – die dies jedoch nicht auf Dauer sind; 3. das Leid des bedingten Daseins; hierbei geht es um die dem unerleuchteten Dasein zugrunde liegende Unzufriedenheit, Disposition zu leidvollen Erfahrungen und Empfänglichkeit für Täuschung und Irrtum. Siehe: *Duhkha; Samsara; Vier Edle Wahrheiten.*

Lo-djong (tib.) → *Geistesschulung*

Madhyamaka (Skrt.): Die einflussreichste der vier großen philosophischen Schulen des indischen Buddhismus; die Schule des «Mittleren Weges», deren Anhänger es vermeiden, in irgendein Extrem zu verfallen. Insbesondere gilt dies für diese beiden Positionen: entweder an die vollständige Nichtexistenz der Phänomene oder aber an ihre wirkliche, unabhängige und dauerhafte Existenz zu glauben. Die *Prasangika-Madhyamaka*-Schule ist eine der beiden bedeutendsten Madhyamaka-Schulen.

Mahamudra (Skrt.): Wörtlich «Großes Siegel»; indem sie sich Shamatha wie auch Vipashyana zunutze macht, richtet sich die Mahamudra-Meditation auf die Einsicht in die wahre Natur des eigenen Geistes. Mahamudra wird in der Kagyü- wie auch in der Gelug-Überlieferung des tibetischen Buddhismus praktiziert.

Mahayana (Skrt.): Wörtlich «großes Fahrzeug»; neben dem Hinayana eines der beiden großen Lehrsysteme im Buddhismus, die sich im alten Indien entwickelt haben. Das wesentliche Unterscheidungsmerkmal zwischen Mahayana und Hinayana ist die Bodhisattva-Meditation: Die altruistische und mitfühlende Geisteshaltung mit unumschränkter Verantwortlichkeit für das Wohlergehen aller Wesen gilt im Mahayana als unerlässliche Voraussetzung, um vollkommen erleuchtet werden zu können.

Maitreya: Einer von Buddha Shakyamunis acht Bodhisattva-Schülern, ihm werden fünf große Werke zugeschrieben, die für die Chittamatra-Schule der indischen Philosophie von grundlegender Bedeutung sind.

Mantra (Skrt.): Eine sakrale Lautkombination, zum Beispiel das Mani-Mantra «Om Mani Peme Hung» oder das Drei-Silben-Mantra «Om Ah Hung»; sie bringt Erleuchtungsqualitäten bzw. die Qualitäten einer Meditationsgottheit zum Ausdruck.

Merton, Thomas (1915–1968): Durch seine 1948 verfasste Autobiographie *Der Berg der sieben Stufen* etablierte sich der Trappistenmönch und Schriftsteller als zeitgenössische kontemplative Stimme mit großer Aussagekraft. Seine persönliche Entwicklung führte ihn in einen Dialog mit dem Osten und zur nachdrücklichen Stellungnahme gegen den Vietnamkrieg. Er zog sich in eine Einsiedelei auf dem Gelände des Klosters Gethsemani in Kentucky zurück; dort schrieb er über das Gebet, den Frieden und soziale Gerechtigkeit. Er verstarb während eines Meditationstreffens mit asiatischen Mönchen in Bangkok.

Methode / Methodenaspekt: Im Mahayana-Buddhismus ein spezifischer Ausdruck für all jene Aspekte des spirituellen Weges, die mit der Entwicklung und Intensivierung des Mitgefühls und der altruistischen Bodhisattva-Aktivitäten zu tun haben; dem steht der Weisheitsaspekt des Weges gegenüber mit seinem direkten Bezug auf die Entwicklung unmittelbarer Einsicht in Leerheit.

Auf den Methodenaspekt beziehen sich die ersten fünf der sechs befreienden Qualitäten, die sechste hingehen auf den Weisheitsaspekt. Aus Sicht des Mahayana gehört zu einem wahrhaft spirituellen Weg die vollkommene Einheit von Methode und Weisheit: Sie wird gelegentlich auch die «Einheit von Weisheit und Mitgefühl» genannt. Siehe: *Bodhisattva-Ideal; Weisheit.*

Methode von Ursache und Wirkung in sieben Punkten: Die sieben Punkte sind: anerkennen, dass alle empfindenden Wesen in einem früheren Leben unsere Mütter gewesen sind; sich auf die Güte sämtlicher Wesen besinnen; über die Erwiderung ihrer Güte meditieren; über Liebe meditieren; über Mitgefühl meditieren; die außergewöhnliche Haltung einer allumfassenden Verantwortung entwickeln; wirkliches Bodhichitta entwickeln.

Milarepa (1052–1135): Tibets großer Heiliger und Poet brachte ungeachtet aller Prüfungen und Entbehrungen, mit denen das Leben ihn konfrontierte, seinem Lehrer unerschütterliche Hingabe entgegen. Als wandernder Yogi lebte er in der unwirtlichen Gebirgswelt und meditierte in entlegenen Höhlen. Seine Lebensgeschichte und seine Lieder, spontane Gesänge von der Einsicht in die wahre Natur der Dinge, sind für die Tibeter seit vielen Generationen eine unerschöpfliche Inspirationsquelle.

Moksha (Skrt.): Wirkliche Befreiung von allen Leid verursachenden Bindungen durch Einsicht in die letztendliche Daseinsnatur.

Nagarjuna: Er ist – nach dem Buddha – vielleicht die zweitwichtigste historische Gestalt im Mahayana-Buddhismus und kann als Begründer des Mahayana angesehen werden. Seine religiösen und philosophischen Schriften gelten nach wie vor bei der Erörterung vieler philosophischer Fragen im Kontext des buddhistischen Denkens als oberste Autorität. Sein Hauptwerk, «Grundlegende Weisheit des Mittleren Weges» *(Mulamadhyamakakarika)*, ist die Grundlage aller nachfolgenden Schriften zur buddhistischen Leerheits-Philosophie. Nagarjuna lebte im 2./3. Jahrhundert unserer Zeitrechnung.

Nicht-Selbst: Der Lehre des Nicht-Selbst, der Selbst-losigkeit, gelegentlich auch als «Nicht-Seele» bezeichnet, kommt im Buddhismus eine philosophische Schlüsselposition zu. Kurz gesagt, geht es hierbei um die Einsicht des Buddha, dass unserem Befangensein im unerleuchteten, bedingten Dasein der Irrglaube an ein dauerhaft und unabhängig existierendes Selbst zugrunde liegt. Die Einsicht in dessen Nichtvorhandensein öffnet uns die Tür zur Befreiung vom Leid des bedingten Daseins. Einzelne Schulrichtungen innerhalb des Buddhismus haben unterschiedliche Auffassungen dazu, wie diese grundlegende Lehre des Buddha zu verstehen ist. Siehe: *Leerheit; Nagarjuna.*

Nirvana (Skrt.): Wörtlich «über Schmerz und Leid hinausgelangt»; bezieht sich auf das dauerhafte Aufhören allen Leids und jener disharmonischen Emotionen, die das Leid verursachen und aufrechterhalten. Diese vollkommene Freiheit von Leid kann man nur durch Bereinigung sämtlicher Geistestrübungen erreichen. Anstelle von Nirvana ist mitunter auch die Rede von Moksha, wirklicher Befreiung und Erlösung.

Nyingma (tib.): Die älteste Schule im tibetischen Buddhismus; sie geht auf jene mündlichen und schriftlichen Überlieferungen zurück, die im achten und neunten Jahrhundert nach Tibet gelangt sind.

Prasangika-Madhyamaka (Skrt.): Eine philosophische Schulrichtung, die innerhalb des Madhyamaka auf Grund der Auslegung von Nagarjunas Werken durch Buddhapalita entstanden ist; die Prinzipien dieser Schule sind maßgeblich für die in allen vier Überlieferungen des tibetischen Buddhismus vorherrschende Philosophie. Siehe: *Nagarjuna*.

Psychophysische Bestandteile oder *psychophysische Komponenten* → *Skandhas*

Rinpoche: Wörtlich «Kostbarer»; diesen Titel verwendet man, wenn man reinkarnierte Lamas, Lamas mit hoher spiritueller Verwirklichung und Äbte von Klöstern anredet oder von ihnen spricht.

Sakya (tib.): Neben der Nyingma-, Kagyü- und Gelug-Linie bilden die Sakyapa eine der vier großen Überlieferungslinien des tibetischen Buddhismus. Sakya («Graue Erde») heißt auch ihr in Südtibet gelegenes Stammkloster. Der berühmteste Sakya-Meister ist Sakya Pandita (1182–1251).

Samsara (Skrt.): «Daseinskreislauf»; der Kreislauf von Leben und Tod; ein von karmischen Tendenzen, von Prägungen durch frühere Handlungen, bedingter Daseinskreislauf, in den die empfindenden Wesen ungewollt immer wieder aufs Neue eintreten.

Schule des Mittleren Weges → *Madhyamaka*

Sechs befreiende Qualitäten → *Bodhisattva-Ideal*

Selbst-losigkeit → *Nicht-Selbst*

Shakyamuni (563–483 v. Chr.): Es heißt, er sei der vierte von eintausend Buddhas des gegenwärtigen Weltzeitalters. Als Prinz aus dem Geschlecht der Shakyas in Nordindien geboren, lehrte er den Weg des Sutra und den Weg des Tantra, auf denen sich Befreiung und volle Erleuchtung erlangen lassen. Was wir heute als Buddhismus bezeichnen, geht auf ihn zurück. Shakyamuni bedeutet «der Weise aus dem Geschlecht der Shakyas». Siehe: *Buddhaschaft*.

Shamatha (Skrt.): Ein gefestigter meditativer Zustand, u. a. dadurch gekennzeichnet, dass man von äußeren Gegenständen nicht abgelenkt wird und der Geist in hohem Maß eingerichtet auf dem Meditationsgegenstand verweilt; wird auch «ruhiges Verweilen» genannt.

Shantideva: Sein Name bedeutet «friedvoller Gott». Der buddhistische Weise und Philosoph, der im siebten Jahrhundert in Indien lebte, hat einen der beliebtesten Mahayana-Texte verfasst, das *Bodhicharyavatara (Eintritt in das Leben zur Erleuchtung)*. Der Dalai Lama verwendet das *Bodhicharyavatara* häufig als Lehrtext und zitiert auch gerne aus dieser Schrift, die dem praktizierenden Buddhisten detaillierte Unterweisungen liefert, wie er sein Leben im Einklang mit dem Bodhisattva-Ideal führen kann. Shantideva ist außerdem dafür bekannt, dass er die Prasangika-Sicht der Leerheit mit philosophisch klarer Argumentation darlegt. Er hat noch einen zweiten Text verfasst: *Shikshamuchchaya* («Sammlung der Regeln»).

Skandhas: In der buddhistischen Psychologie gibt es fünf Skandhas, psychophysische Komponenten: Form (der Körper), Empfindung, Wahrnehmung, geistige Formationen (Konditionierungen) und Bewusstsein. Das erste Skandha bezieht sich auf den Körper, die andern vier auf den Geist.

Sutra (Skrt.): Die Darlegungen des historischen Buddha Shakyamuni in seinen öffentlichen Lehrreden; entsprechend wird das Wort den Titeln jener Werke hinzugefügt, die – von der Überlieferung anerkannt – die wahren Worte des Buddha wiedergeben. Das *Herz-Sutra* und das *Diamant-Sutra* sind zwei bekannte Beispiele. In einem weiteren Sinnzusammenhang wird Sutra in Gegenüberstellung zu Tantra gebraucht und bezeichnet dann die allgemeinen, nichtesoterischen Mahaya-na-Lehren und die damit verknüpften Übungssysteme.

Tantra (Skrt.): Wörtlich «Kontinuum»; der Begriff Tantra hat im Buddhismus zwei Bedeutungen: Er bezieht sich einerseits auf die tantrische Praxis, andererseits auf die Literatur, die diese tantrische Praxis in ihrer ganzen Vielfalt darlegt und erläutert. Die tantrische Praxis beinhaltet höchst subtile und differenzierte Techniken, mit deren Hilfe der Praktizierende disharmonische Emotionen in Glückszustände der Verwirklichung umwandeln kann. Es heißt, der Buddha Shakyamuni habe diese Lehren erteilt, indem er die Gestalt von esoterischen Meditationsgottheiten angenommen habe.

Tathagatagarbha: Wörtlich «die Essenz des so Dahingegangenen»; Tathagatagarbha besagt, dass in allen empfindenden Wesen der Samen zur Buddhaschaft, die Buddha-Natur, gegenwärtig ist. Dem Mahayana-Buddhismus zufolge existiert in jedem von uns ein natürliches Potenzial, das es uns ermöglicht, alle Geistestrübungen zu bereinigen und vollkommen erleuchtet zu werden. Siehe: *Buddhaschaft; Erleuchtung.*

Theismus: Lehre von einem persönlichen, von außen auf die Welt einwirkenden Schöpfergott.

Tong-len (tib.): Wörtlich «Geben und Nehmen»; eine Mahaya-na-Übung, in der man visualisiert, dass man anderen sein Glück schenkt und das Leid und das Unglück anderer auf sich nimmt. Diese Übung ist darauf ausgerichtet, Herzensgüte und Mitgefühl zu entwickeln.

Vaibhashika (Skrt.): Eine der vier großen Schulen buddhistischer Philosophie im alten Indien.

Vajrayana (Skrt.): Wörtlich «Diamant-Fahrzeug»; Vajrayana ist der esoterische Aspekt des Buddhismus. Siehe: *Tantra.*

Vier Edle Wahrheiten: 1. Im bedingten Dasein gibt es Leid (Duhkha); 2. Leid hat seinen Ursprung im Anhaften; 3. das Leid kann aufhören; 4. es gibt einen Weg aus dem Leid.

Sämtliche buddhistischen Überlieferungen sind sich einig, dass die Vier Edlen Wahrheiten die Grundaussage des Buddhismus beinhalten. Im Hinblick auf Ursache und Wirkung lassen sich diese vier Grundsätze in zwei Gruppen gliedern. Die erste ist mit dem Kreislauf des bedingten Daseins verknüpft: die Wahrheit vom Ursprung des Leids (Ursache) und die Wahrheit vom Vorhandensein des Leids (Wirkung). Die zweite Untergruppe ergibt sich im Hinblick auf die Befreiung aus dem bedingten Dasein: der wahre Weg (das Mittel zur Befreiung – die Ursache) und die wahre Beendigung des Leids (der tatsächliche Zustand der Befreiung – die Wirkung). Kurzum, die Lehre von den Vier Edlen Wahrheiten skizziert die Natur von Samsara und Nirvana nach buddhistischem Verständnis.

Vipashyana (Skrt.): Bedeutet «besondere Klarsicht», «durchdringende Einsicht»; ein Zustand analytischer Meditation, der die Natur, die Kennzeichen und die Funktion des gewählten Meditationsgegenstands erfasst und auf der Grundlage von Shamata erreicht wird.

Weisheit / Weisheitsaspekt: Weisheit und Methode sind die beiden komplementären Aspekte des buddhistischen Weges – ähnlich, wie ein Vogel zum Fliegen zwei Flügel benötigt. Fehlt ihm einer, so vermag er sich nicht vom Boden zu erheben. Entsprechend kann ein Mensch auf dem spirituellen Weg das Ziel der Erleuchtung nicht erreichen, sofern er nicht auf beides zurückgreift, Weisheit *und* Methode. Der Weisheitsaspekt des Weges bezieht sich auf die unmittelbare Einsicht in Leerheit. Das Sanskrit-Wort *prajna* – häufig einfach mit «Weisheit» übersetzt, obwohl «Einsicht» vielleicht die angemessenere Übertragung ist – definiert man traditionell als «das unterscheidende Gewahrwerden des Wesens, der

Unterscheidungsmerkmale und der besonderen oder allgemeinen Kennzeichen jedes Objekts innerhalb des eigenen Wahrnehmungsbereiches, das schließlich jeden Zweifel beseitigt». Hier geht es nicht um einen passiven Wissensbestand und auch nicht um Wissensanhäufung. Weisheit meint vielmehr einen aktiven Erkenntnisprozess – im Mahayana-Kontext vor allem die unmittelbare, tiefe Einsicht in Leerheit, die wahre Natur der Dinge und Ereignisse. Siehe: *Leerheit; Methode.*

LEKTÜREVORSCHLÄGE

ब्लོ་སྦྱོང་

Dalai Lama, *Das Buch der Menschlichkeit – Eine neue Ethik für unsere Zeit*, Lübbe, Bergisch Gladbach 1999.

Dalai Lama, *Das Herz aller Religionen ist eins – Die Lehre Jesu aus buddhistischer Sicht*, Hoffmann und Campe, Hamburg 1997.

Dalai Lama, *Der Friede beginnt in dir. Zur Überwindung der geistig-moralischen Krise in der heutigen Weltgemeinschaft*, O. W. Barth, Bern/München/Wien [4]1997.

Dalai Lama, *Der Mensch der Zukunft – Meine Vision. Die Botschaft des Buddhismus für die Welt von morgen*, O. W. Barth, Bern/München/Wien 1998.

Dalai Lama, *Die Lehren des tibetischen Buddhismus*, Hoffmann und Campe, Hamburg 1998.

Dalai Lama, *Einführung in den Buddhismus – Die Harvard-Vorlesungen*, Herder, Freiburg [14]2000.

Dalai Lama, *Das Auge der Weisheit*, O. W. Barth, Bern/München/Wien 1971 u. ö.

Dilgo Khyentse Rinpoche, *Die sieben tibetischen Geistesübungen*, O. W. Barth, Bern/München/Wien 1996.

Shantideva, *Eintritt in das Leben zur Erleuchtung. Poesie und Lehre des Mahayana-Buddhismus*, aus dem Sanskrit von Ernst Steinkellner, Diederichs, München [3]1997.

Bernard Glassman, *Anweisungen für den Koch – Lebensentwurf eines Zen-Meisters*, Hoffmann und Campe, Hamburg 1997.

Philip Kapleau, *Das Zen-Buch vom Leben und vom Sterben — Ein spiritueller Ratgeber,* O. W. Barth, Bern/München/Wien 2001.

Herman E. Daly, *Wirtschaft jenseits von Wachstum — Die Volkswirtschaftslehre nachhaltiger Entwicklung,* Pustet (Edition solidarisch leben), Salzburg und München 1999.

Dalai Lama XIV.

Der Friede beginnt in dir

Zur Überwindung der geistig-moralischen Krise in der heutigen Weltgemeinschaft

200 Seiten, Paperback, Sonderausgabe
ISBN 3-502-65134-5

In Kommentaren zu einem der schönsten Basistexte des Buddhismus legt der Dalai Lama in diesem Buch die wichtigsten buddhistischen Lehren über den Weg zu innerem und äußerem Frieden dar.

Dalai Lama XIV.

Mit dem Herzen denken

Mitgefühl und Intelligenz sind die Basis menschlichen Miteinanders

192 Seiten, gebunden
ISBN 3-502-65129-9

Wie denkt der Dalai Lama über die Verantwortung des Einzelnen gegenüber den brennenden Fragen unserer Zeit? Wie können wir gewöhnlichen Menschen, die wir ständig mit unseren Alltagsproblemen beschäftigt sind, uns dennoch den großen Problemen von Krieg und Vertreibung, Hunger und Rassenhass, politischer Unterdrückung und Umweltverschmutzung bewusst stellen? Die Antwort des Dalai Lama ist einfach und überzeugend, er entwickelt sie aus der Lehre des Buddhismus und seiner eigenen reichen Lebenserfahrung. Wir müssen uns emotional auf den leidenden Mitmenschen einstellen, gleichzeitig aber die Klarheit des wachen Verstandes benutzen, um unser Mitgefühl in aktives Handeln umzusetzen.

Dalai Lama XIV.

Der Mensch der Zukunft – Meine Vision

Die Botschaft des Buddhismus für die Welt von morgen

256 Seiten, gebunden
ISBN 3-502-61009-6

«Zurückgeblieben in seiner inneren Entwicklung» lautet das Urteil des Dalai Lama über den Menschen an der Schwelle zum neuen Jahrtausend. Seine Stimme wird gehört, weil er Integrität und Weisheit verkörpert und der Vertreter einer Religion ist, die heute auf großes Interesse stößt. Wer könnte das Kernproblem unserer Welt so prägnant auf den Punkt bringen wie der Dalai Lama? Er kehrt zu seinen spirituellen Wurzeln zurück, um jedem von uns zu helfen, den Widerspruch zwischen innerer und äußerer Evolution des Menschen zu überwinden.

Dalai Lama XIV.

In die Herzen ein Feuer

**Aufbruch zu einem tieferen Verständnis
von Geist, Mensch und Natur**

280 Seiten, gebunden, Sonderausgabe
ISBN 3-502-65135-3

Mit großer Klarheit und der Autorität seiner Menschlichkeit und spirituellen Kraft macht der Dalai Lama deutlich, dass es im Grunde keine «östliche» oder «westliche» Erkenntnis gibt – auf welchem Gebiet auch immer. Einmal mehr zeigt er gangbare Wege auf, um im Kleinen wie im Großen vom Gegeneinander zum Miteinander zu finden.

Dalai Lama XIV.

Das Auge der Weisheit

**Grundzüge der buddhistischen Lehre
für den westlichen Menschen**

180 Seiten, gebunden
ISBN 3-502-65130-2

Der Dalai Lama hat dieses Buch speziell für den Westen geschrieben. Ein knapper Überblick über die Geschichte und Verbreitung des tibetischen Buddhismus schafft die Grundlage für das Verständnis dieser subtilen, historisch gewachsenen östlichen Lehre. Mit großer Klarheit bei gebotener Kürze stellt der Dalai Lama die Lehrsätze auf, die für den ganzen Buddhismus verbindlich sind, jedoch ihre eigene tibetische Prägung erfahren haben. Er führt in Grundbegriffe wie Dharma (Lehre, Gesetz, Weg) und Wiedergeburt ein und stellt sie in den Gesamtzusammenhang buddhistischer Lebensregeln.

Kalu Rinpoche

Den Pfad des Buddha gehen

**Eine Einführung in die meditative Praxis
des tibetischen Buddhismus von den vorbereitenden
Übungen bis zur höchsten Stufe der Meditation**

255 Seiten, 6 Abbildungen, gebunden
ISBN 3-502-62340-6

Aus langjähriger Erfahrung mit der Unterweisung westlicher Menschen schöpfend, legt der bedeutende buddhistische Meditationsmeister Kalu Rinpoche (1905–1989) hier ein Handbuch der geistigen Schulung vor, das Übenden in allen Stadien des Weges Orientierung und Inspiration gibt.

Sogyal Rinpoche

Das tibetische Buch vom Leben und vom Sterben

Ein Schlüssel zum tieferen Verständnis von Leben und Tod. Mit einem Vorwort des Dalai Lama

500 Seiten, gebunden
ISBN 3-502-62580-8

In einer auf den westlichen Menschen abgestimmten Auslegung der buddhistischen Lehren führt Sogyal Rinpoche an eine Lebenspraxis heran, durch die der Tod seinen Schrecken verliert und der Alltag an Authentizität und Lebensfreude gewinnt.

Sogyal Rinpoche

Funken der Erleuchtung

Buddhistische Weisheit für jeden Tag des Jahres

400 Seiten, Pappband
ISBN 3-502-62582-4

Dieses Buch bietet eine unerschöpfliche Fundgrube inspirierender Gedanken zu den wesentlichen Themen des menschlichen Daseins: Leben und Sterben, Hoffnung und Zweifel, Achtsamkeit, Mitgefühl, Weisheit und Arbeit. In kurzen Texten für jeden Tag gibt Sogyal Anleitungen, wie man Ruhe und Frieden, Weisheit und Mut findet.